JOHN STEINBECK

RATOS E HOMENS

Tradução de A<small>NA</small> B<small>AN</small>

www.lpm.com.br

L&PM POCKET

Coleção **L&PM** POCKET, vol. 413

Texto de acordo com a nova ortografia.
Título do original: *Of mice and men*

Primeira edição na Coleção **L&PM** POCKET: abril de 2005
Esta reimpressão: agosto de 2025

Tradução: Ana Ban
Revisão: Eva Mothci e Renato Deitos
Capa: Marco Cena

ISBN 978-85-254-1378-9

S799r Steinbeck, John, 1902-1968
           Ratos e homens / John Steinbeck; tradução de Ana Ban
        – Porto Alegre: L&PM, 2025.
           144 p.; 18 cm. (Coleção L&PM POCKET)

           1.Literatura norte-americana-Romances. I.título. II.série.

                                                CDD 813
                                                CDU 821.111(73)-3

Catalogação elaborada por Izabel A. Merlo, CRB 10/329.

© John Steinbeck, 1937
  renovado John Steinbeck, 1965

Todos os direitos desta edição reservados a L&PM Editores
Rua Comendador Coruja, 314, loja 9 – Floresta – 90.220-180
Porto Alegre – RS – Brasil / Fone: 51.3225.5777

Pedidos & Depto. Comercial: vendas@lpm.com.br
Fale conosco: info@lpm.com.br
www.lpm.com.br

Impresso no Brasil
Inverno de 2025

JOHN STEINBECK
(1902-1968)

John Steinbeck nasceu em Salinas, no estado da Califórnia, nos Estados Unidos, em 1902. De uma família de classe baixa, embora não pobre, Steinbeck presenciava a vida dos trabalhadores da cidade de Salinas e do fértil Vale de Salinas, centros agrícolas a cerca de 20 quilômetros do oceano Pacífico (tanto o vale quanto a costa marítima californiana seriam pano de fundo de grande parte da sua ficção).

Em 1919, ingressou na Universidade de Stanford, onde assistiu a aulas de vários cursos, entre eles Inglês e Literatura, até abandonar a universidade, em 1925, antes da obtenção de um diploma. Resolveu, então, lançar-se em uma carreira de escritor *free-lance* em Nova York. Neste período inicial da sua carreira, trabalhou em uma série de bicos, como zelador de uma propriedade no lago Tahoe, técnico de laboratório, pedreiro na construção de Madison Square Garden e repórter diário de um periódico nova-iorquino. Durante a estada em Nova York, escreveu seu primeiro romance, *Cup of gold* (publicado no Brasil como *Tempos passados*), de 1929.

Retornou à Califórnia no final da década de 1930, continuando sempre a escrever. Casou-se com Carol Henning, mudou-se para a cidade de Pacific Grove, na área de Monterey, onde a família Steinbeck possuía uma propriedade, depois para Los Angeles e novamente para a área de Monterey. No início da conturbada década de 30, publicou ainda dois trabalhos de ficção passados na Califórnia, *The pastures of heaven* (*Pastagens do céu*), de 1932, e *To a god unknown* (*Ao deus desconhecido*), de 1933, além de trabalhar nos contos mais tarde recolhidos no volume *The long valley* (*O vale sem fim*), de 1938. Seus três primeiros romances foram publicados por três editores diferentes, e não se beneficiaram nem um pouco da depressão econômica disparada nos Estados Unidos pelo *crash* da Bolsa de Nova York, que aconteceu apenas dois meses depois da publicação de *Cup of gold*. Os três editores faliram e Steinbeck viu-se sem editor. O sucesso e a segurança financeira vieram apenas em 1935, com a publicação do romance *Tortilla Flat* (*Boêmios errantes*), publicado pela firma Covici-Friede. As histórias bem-humoradas sobre a vida de *paisanos* (descendentes de espanhóis misturados, muitas vezes, com mexicanos, índios e caucasianos) que viviam na chamada Planície Tortilla de Monterey, próximo à fronteira mexicana, mostraram-se um alento para os americanos oprimidos pela crise. Durante a depressão, literatura e cinema serviam de escape para muitos. Escape da pobreza, da preocupação sobre como pagar o aluguel, da procura de emprego ou mesmo da preocupação sobre onde conseguir dinheiro para pagar a conta do armazém. Experimentador incansável, Steinbeck mudou os rumos da sua literatura várias vezes. Entretanto, já nessas suas primeiras obras via-se o fio condutor que permearia toda a sua literatura: observação social, de cunho realista, das camadas de trabalhadores de classe baixa, às vezes miseráveis, mantidos no limbo do sistema econômico. Mas, se a preocupação literária de Steinbeck voltava-se especificamente para grupos de trabalhadores de algumas regiões norte-americanas, faz-se necessário dizer que seus personagens recebiam tratamento tal que, mais do que as agruras de um tipo de homem localizado especificamente no tempo e no espaço, Steinbeck fazia tais personagens exemplares dos mais universais sentimentos humanos: a luta pela dignidade humana, a dificuldade das relações de afeto frente à crueldade do mundo e da vida, e a solidão, na sua acepção mais ampla e passível de ser compartilhada por todos os homens.

Ainda na década de 30, sendo Steinbeck já um autor famoso, seguiram-se outros livros, que confirmaram a promessa literária (assim foi ele encarado quando da publicação de *Tortilla Flat*): *In dubious battle* (*Luta incerta*), publicado em 1936, sobre colhedores de frutas na Califórnia, *Of mice and men* (*Ratos e homens*), publicado em 1937, e aquele que é considerado seu melhor romance, *The grapes of wrath* (*As vinhas da ira*), de 1939, sobre agricultores do estado americano de Oklahoma que, por não conseguirem sobreviver da terra, mudam-se para a Califórnia, onde passam a trabalhar sazonalmente em fazendas alheias. O romance foi premiado com o importante Prêmio Pulitzer de Literatura.

Na década de 1940, Steinbeck, como tantos outros autores americanos de sucesso, fez uma incursão por Hollywood, com o roteiro *The forgotten village* (1941). Publicou, ainda, *Sea of Cortez* (1941), *Bombs away* (1942), sobre a guerra, a controversa peça *The moon is down* (1942), os romances *Cannery row* (*A rua das ilusões perdidas*), de 1945, *The wayward bus* (1947) e *The pearl* (*A pérola*), de 1947, o relato de viagem *A russian journal* (*Um diário russo*), de 1948, e mais uma peça, *Burning bright* (1950). No início da década de 50, Steinbeck apresentou ao público o monumental romance *East of Eden* (1952) – traduzido no Brasil como *A leste do Éden* –, uma saga sobre uma família do Vale de Salinas com toques autobiográficos.

As últimas décadas da sua vida foram passadas em Nova York e Sag Harbour com a sua terceira esposa, com quem viajou muito. Outros livros seus são: *Sweet thursday* (1954), *The short reign of Pippin IV: a fabrication* (*O curto reinado de Pepino IV*), de 1957, *Once there was a war* (1958), *The winter of our discontent* (*O inverno da nossa desesperança*), de 1961, e *Travels with Charley in search of America* (*Viajando com Charley*), de 1962 – este último sobre uma viagem que Steinbeck fez pelos Estados Unidos –, *America and americans* (*A América e os americanos*), de 1966, e os póstumos *Journal of a novel: The East of Eden letters* (1969), *Viva Zapata!* (1975), *The acts of King Arthur and his noble knights* (1976) e *Working days: the journals of The grapes of wrath* (1989). Ele recebeu o prêmio Nobel de Literatura em 1962, com a seguinte declaração da Academia de Letras sueca: "[Steinbeck] não era talhado para fazer meramente entretenimento. Ao contrário, os assuntos por ele escolhidos são sérios e denunciativos, como as experiências amargas nas plantações de frutas e algodão da Califórnia."

Grande parte das obras ficcionais de Steinbeck tem inspirações bíblicas. No caso de *Ratos e homens*, críticos costumam identificar traços da história de Caim e Abel.

Vários dos seus livros foram levados às telas de cinema, como *As vinhas da ira*, em produção de 1940, de John Ford, e *Ratos e homens*, filmado em 1939 por Lewis Milestone e em 1992 por Gary Sinise.

A preocupação social de Steinbeck ia além da escolha dos assuntos de suas ficções: ele registrou literariamente, nos diálogos dos seus personagens, também a peculiaridade da linguagem dos diversos grupos de trabalhadores por ele retratados. Faleceu no dia 20 de dezembro de 1968 em Nova York.

ALGUNS QUILÔMETROS ao sul de Soledad, o rio Salinas aproxima-se do sopé das colinas e fica bem profundo e verde. A água também é quente, por deslizar, reluzente, sobre as areias amarelas banhadas pelo sol antes de chegar à lagoa estreita. De um lado do rio, as encostas das colinas sobem até as montanhas Gabilan, fortes e rochosas, mas, do lado do vale, a água se faz acompanhar por uma fileira de árvores – chorões que se renovam verdejantes a cada primavera, segurando nos entroncamentos das folhas mais baixas os restos das enchentes de inverno; e plátanos com troncos e galhos cobertos de manchas, brancos e recurvados, que se arqueiam por sobre a lagoa. Na margem arenosa sob as árvores, uma grossa camada de folhas se aglomera tão seca que um lagarto que passe correndo por lá faz muito barulho. Lebres saem do bosque para se acomodar sobre a areia ao cair da noite, e a porção úmida das margens fica coberta com os rastros noturnos dos guaxinins, com as almofadinhas espaçadas das patas dos cães das fazendas, e com as pegadas em forma de V dos veadinhos que vão até ali beber água no escuro.

Há uma trilha entre os chorões e os plátanos, uma trilha bem desgastada pelos garotos que vêm das fazendas para nadar na lagoa, e desgastada pelos mendigos que descem cansados da estrada ao anoitecer para se aninhar perto da água. Na frente do tronco baixo e horizontal de um plátano gigante há uma pilha de cinzas formada por muitas fogueiras antigas; o lugar do tronco em que os homens costumam se sentar é liso.

O anoitecer de um dia quente fez com que uma brisa começasse a soprar por entre as folhas. A sombra ia subindo pelas montanhas, em direção ao topo. Nas margens arenosas, as lebres se acomodaram como se fossem pedrinhas cinzentas e esculpidas. E então, dos lados da autoestrada estadual, veio o som de passos sobre as folhas de plátano secas. As lebres saíram correndo em silêncio, em busca de abrigo. Uma garça que ali descansava saiu voando rio abaixo. Por um instante o lugar ficou sem vida, e então dois homens surgiram da trilha e passaram à clareira ao lado da lagoa verde.

Haviam caminhado em fila indiana pela trilha, e mesmo ali, em terreno aberto, continuavam um atrás do outro. Ambos usavam calças de brim e jaquetas de brim com botões de latão. Ambos usavam um chapéu preto disforme e ambos carregavam cobertores enrolados bem apertados, pendurados no ombro. O primeiro era pequeno e rápido, moreno de rosto, com olhos inquietos e traços bem definidos e fortes. Cada parte dele era bem definida: mãos pequenas e fortes, braços delgados, nariz fino e ossudo. Atrás dele vinha sua antítese, um homem enorme, sem formas definidas no rosto, com olhos grandes e claros, com ombros caídos e amplos, que caminhava pesadamente, arrastando um pouco os pés, da maneira como um urso arrasta as patas. Os braços não balançavam ao lado do corpo, apenas permaneciam soltos.

O primeiro homem parou de repente na clareira, e seu seguidor quase passou por cima dele. Tirou o chapéu, limpou a faixa interna com o indicador e sacudiu a mão para se livrar da umidade. Seu enorme companheiro deixou cair os cobertores, se jogou no chão e bebeu a água da superfície da lagoa verde; bebeu com goles compridos, fazendo barulho na água como se fosse um cavalo. O homenzinho parou em pé ao seu lado, nervoso.

– Lennie! – disse com severidade. – Lennie, pelo amor de Deus, num bebe tanto assim.

Lennie continuou a beber ruidosamente. O homenzinho se abaixou e o sacudiu pelo ombro.

– Lennie. Ocê vai se sentir mal, igual na noite passada.

Lennie enfiou toda a cabeça na água, com chapéu e tudo, então se sentou na margem e a água no chapéu pingou na jaqueta e escorreu pelas costas.

– Foi bom – disse. – Bebe um pouco, George. Bebe um golão. – Sorriu alegremente.

George soltou a alça da trouxa e a colocou com cuidado no chão:

– Num sei se essa água é boa – disse. – Parece meio cheia de lodo.

Lennie enfiou sua patarra na água e remexeu os dedos, fazendo com que a água espirrasse em pequenos jorros; anéis se formaram e chegaram ao outro lado da lagoa e então voltaram. Lennie ficou observando o trajeto:

– Oia, George. Oia o que eu fiz.

George se ajoelhou ao lado da lagoa e bebeu com a mão em forma de concha, em porções rápidas.

– O gosto é normal – reconheceu. – Mas num parece corrente. A gente nunca deve bebê água que num corre, Lennie – disse, inutilmente.

– Ocê ia bebê água da sarjeta se tivesse com sede.

Jogou uma porção de água no rosto e a espalhou com a mão, sob o queixo e em volta do pescoço. Então recolocou o chapéu, deixou-se cair sentado no chão, colocou os joelhos perto do corpo e os abraçou. Lennie, que tinha observado tudo com atenção, imitou George com exatidão. Deixou-se cair sentado no chão, puxou os joelhos para perto do corpo e os abraçou, olhou para George para ver se tinha feito certo. Puxou o chapéu mais um pouco por sobre os olhos, para ficar igual ao chapéu de George.

George ficou olhando morosamente para a água. Seus olhos estavam vermelhos por causa do brilho do sol. Disse, bem bravo:

– A gente bem que podia tê chegado direto na fazenda se aquele idiota daquele motorista de ônibus soubesse o que tava falando. "Só uma caminhadinha curtinha, saindo da estrada", ele disse. "Só uma caminhadinha curtinha." Que diabo, foi mais de seis quilômetro, isso sim! Ele não quis é pará na portera da fazenda, só isso. Preguiçoso dimais pra estacioná. Tô aqui pensando que ele deve de se achá bom dimais pra pará em Soledad também. Chuta a gente pra fora e fala "só uma caminhadinha curtinha, saindo da estrada". Aposto que era *mais* que seis quilômetro. Que porcaria de dia quente.

Lennie olhou para ele, todo tímido:

– George?
– O que ocê qué?
– Pr'onde é que a gente tá indo, George?

O homenzinho puxou para baixo a aba do chapéu e olhou torto para Lennie.

– Então, ocê já isqueceu, foi? Vô tê que falá de novo, né? Jesus Cristo, ocê é um idiota loco!

– Isqueci – Lennie disse suavemente. – Eu tentei não isquecê. Juro por Deus que tentei, George.

– Tudo bem, tudo bem. Vô falá de novo. Não posso fazê nada. Parece que eu passo o tempo todo falando as coisa pr'ocê, aí ocê isquece e eu falo tudo de novo.

– Eu tentei, tentei sim – Lennie disse. – Mas não adiantô nada. Eu lembro daquilo dos coelho, George.

– Que se dane os coelho. A única coisa que ocê consegue lembrá é esses coelho. Tudo bem! Agora vê se ouve bem e dessa veiz ocê vai tê que lembrá pra gente não se metê em encrenca. Ocê lembra de quando a gente tava sentado naquela sarjeta da rua Howard e viu uma placa?

O rosto de Lennie se abriu em um sorriso cheio de satisfação:

– Mas claro que sim, George, lembro sim... mas... o que foi memo que a gente fez depois? Lembro de umas moça que passô, e ocê disse... ocê disse...

– Que se dane o que eu disse. Ocê lembra que a gente entrou no escritório do Murray e do Ready, e que eles deu pra gente uns cartão de trabaio e umas passagem de ônibus?

– Ah, claro, George. Agora eu lembrei. – Percorreu rapidamente com as mãos os bolsos laterais do casaco. Disse bem baixinho: – George... o meu num tá aqui. Devo tê perdido em algum lugá. – Olhou para o chão, desesperado.

– O seu nunca ficou co'ocê, seu idiota loco. Os dois tão aqui comigo. Ocê acha que eu ia dexá ocê carregá seu cartão de trabaio?

Lennie sorriu aliviado:

– Eu... eu achei que tinha colocado no bolso. – Colocou a mão no bolso de novo.

George olhou para ele com severidade:

– O que foi que ocê tirou aí desse bolso?

– Num tem nada no meu bolso – Lennie disse, com esperteza.

– Eu sei que num tem. Ocê tá segurando na mão. O que é qu'ocê tem aí na mão... o que qu'ocê tá escondendo?

– Num tem nada, não, George. Sério.

– Anda logo, dá aqui.

Lennie afastou de George a mão fechada:

– É só um rato, George.

– Um rato? Um rato vivo?

– Não. Só um rato morto, George, num fui eu que matou. Sério! Eu achei. Achei morto.

– Dá aqui! – disse George.

– Ah, deixa eu ficá com ele, George.

– *Dá aqui!*

A mão de Lennie obedeceu vagarosamente. George pegou o rato e jogou por sobre a lagoa, para o outro lado, no meio do bosque.

– Pra que é qu'ocê qué um rato morto, hein?

– Eu fiquei agradando ele co'o dedão enquanto a gente ficou andando – respondeu Lennie.

– Bom, ocê não vai ficá agradando rato nenhum enquanto anda comigo. Agora ocê lembra onde a gente tá indo?

Lennie pareceu confuso e então, envergonhado, escondeu a cabeça entre os joelhos:

– Isqueci de novo.

– Jesus Cristo – George disse, cheio de resignação. – Bom... olha, a gente tá indo pr'uma fazenda igual àquela lá do Norte, de onde a gente tá vindo.

– Lá do Norte?

– De Weed.

– Ah, tá. Eu lembro. De Weed.

– A fazenda pra onde a gente vai é logo ali, a uns quinhentos metro. A gente vai lá falá co'o patrão. Então, vê bem... eu vô dá pra ele os tíquete de trabalho, mas ocê num vai dá nenhum pio. Ocê só vai ficá lá parado sem dizê nada. Se ele descobri o idiota loco qu'ocê é, a gente não vai consegui trabaio nenhum, mas se ele vê ocê trabaiá antes de ouvi ocê falá, pronto. Entendeu?

– Claro, George, claro que entendi.

– Tudo bem. Então, quando a gente for falá co'o patrão, o que é memo que ocê vai dizê?

– Eu... eu – Lennie estava pensando. O seu rosto ficou rígido de tanto esforço. – Eu... eu num vô falá nada. Só vô ficá lá parado.

– Bom garoto. É isso aí. Fala isso umas duas, três veiz, pra tê certeza que ocê num vai isquecê.

Lennie murmurou para si mesmo, bem baixinho:

– Num vô falá nada... Num vô falá nada... Num vô falá nada.

– Tudo bem – George disse. – E ocê também num vai fazê nenhuma coisa errada, igual qu'ocê feiz em Weed, viu?

Lennie ficou com cara de quem não estava entendendo nada:

– Igual eu fiz em Weed?

– Ah, então ocê também isqueceu daquilo, é? Bom, eu é que num vô fazê ocê lembrá, pr'ocê num fazê de novo.

Uma luz de compreensão invadiu o rosto de Lennie.

– Eles ixpulsô a gente de Weed – explodiu, cheio de triunfo.

– É, foi memo, caramba – George disse, desgostoso. – A gente saiu correndo. O pessoal tava memo atrás da gente, mas ninguém pegô a gente.

Lennie deu risadinhas alegres.

– Num isqueci isso, pode tê certeza.

George se deitou sobre a areia e cruzou as mãos por sob a nuca, e Lennie o imitou, erguendo um pouco a cabeça para conferir se estava fazendo certo.

– Caramba, ocê dá o maió trabaio – George disse. – Eu podia tá me dando muito bem se num tivesse ocê no meu pé. Eu ia podê levá uma vida fácil e, vai sabê, podia até arrumá uma muié pra mim.

Por um instante, Lennie ficou lá quieto, e daí disse, cheio de esperança:

– A gente vai trabaiá numa fazenda, George?

– É isso aí. Isso ocê entendeu. Mas hoje a gente vai dormi aqui porque eu quero.

O dia estava indo embora rapidamente. Apenas o topo das montanhas Gabilan queimava com a luz do sol que já tinha ido embora do vale. Uma cobra-d'água deslizou pela lagoa, com a cabeça erguida como um pequeno periscópio. Os juncos estremeciam um pouco por causa da corrente. Ao longe, na direção da estrada, um homem gritou alguma coisa, e outro homem gritou em resposta. Os galhos dos plátanos farfalharam um pouco devido a uma brisa fraca que morreu imediatamente.

– George... por que é que a gente num vai até lá na fazenda arrumá uma janta? Tem janta na fazenda.

George rolou o corpo para o lado.

– Num vô dá razão nenhuma pr'ocê. Eu gostei daqui. Amanhã a gente vai lá trabaiá. Vi umas máquina de debulhá no caminho pra cá. Isso qué dizê que a gente vai tê que ficá carregando saco de cereal, a gente vai estourá as tripa. Hoje vô ficá aqui deitado olhando pra cima. Gostei da ideia.

Lennie ficou de joelhos e olhou para George:

– A gente não vai jantá?

– Claro que vai, se ocê fô buscá uns galho seco de salgueiro. Tenho três lata de fejão na minha troxa. Ocê arruma o fogo. Eu te dô um fósfro quando a madera tivé pronta. Daí a gente isquenta o fejão e janta.

Lennie disse:

– Eu gosto de comê fejão com molho de tomate.

– Bom, a gente num tem molho de tomate nenhum. Vai lá buscá a madera. E num vai ficá dando volta por aí. Logo, logo vai iscurecê.

Lennie ficou de pé e desapareceu no meio do bosque. George ficou deitado onde estava e assobiou baixinho para si mesmo. Ouviu um som de chapinhar rio abaixo, na direção que Lennie tinha tomado. Parou de assobiar e ficou prestando atenção.

– Que idiota, coitado – disse em voz baixa e logo recomeçou a assobiar.

Logo Lennie voltou, atravessando o bosque ruidosamente. Carregava um galhinho de salgueiro na mão. George se sentou.

– Muito bem – disse, brusco. – Pode me dá esse rato agora memo!

Mas Lennie fez uma elaborada pantomima de inocência.

– Que rato, George? Num tem rato nenhum.

George esticou a mão.

– Anda logo. Pode me dá. Ocê não engana ninguém.

Lennie hesitou, recuou, olhou inquieto para o bosque que margeava o rio, como se estivesse considerando a possibilidade de correr para a liberdade. George disse, com frieza:

– Ocê vai me dá esse rato ou eu vô tê que te dá uma surra?

– Te dá o que, George?

– Ocê sabe muito bem o quê. Eu quero esse rato.

Lennie enfiou a mão no bolso com relutância. A voz tremeu um pouco:

– Num sei por que que eu num posso ficá com ele. Esse rato num é de ninguém. Eu num robei. Achei jogado do lado da estrada.

A mão de George continuou estendida, cheia de decisão. Lentamente, como um cão terrier que não quer entregar uma bola ao dono, Lennie se aproximou, recuou, aproximou-se de novo. George estalou os dedos com força, e, a esse som, Lennie colocou o rato na mão dele.

– Eu num tava fazendo nada de mau com ele, George. Só tava agradando.

George se levantou e jogou o rato o mais longe que conseguiu no meio do bosque, depois foi até a lagoa e lavou as mãos.

– Seu bobo loco. Ocê acha que eu num vi que os seus pé tá tudo molhado porque ocê atravessô o rio pra buscá ele? – Ouviu o choro manhoso de Lennie e deu meia-volta. – Tá chorando que nem um bebê! Jesus Cristo! Um sujeito grande igual ocê.

O lábio de Lennie tremeu e lágrimas brotaram de seus olhos.

– Ah, Lennie! – George colocou a mão no ombro de Lennie. – Num tirei d'ocê por maldade. Aquele rato num tá nada fresco, Lennie; e, além disso, ocê quebrô ele co'os seus agrado. Se ocê arrumá otro rato mais fresco, eu deixo ocê ficá com ele um pouquinho.

Lennie sentou-se no chão e deixou a cabeça cair, desalentado.

– Num sei onde é que vai tê otro rato. Eu lembro de uma moça que sempre dava os rato dela pra mim... ela me dava todos os rato que ela tinha. Mais aquela moça num tá aqui.

George caçoou:

– Moça, é? Ocê nem lembra quem era essa moça? Era a tua tia Clara, ela mesma. E ela parô de dá pr'ocê. Porque ocê sempre matava todos os rato.

Lennie olhou para ele com tristeza.

– Eles era tão pequenininho – disse, como que pedindo desculpas. – Eu agradava eles e logo eles começava a mordê o meu dedo e eu apertava a cabeça deles um poco e logo eles morria... porque eles era pequenininho demais. Eu queria que a gente tivesse coelho logo, George. Eles num são assim tão pequeno.

– Que se dane os coelho. E num dá pra confiá em te dá um rato vivo pr'ocê segurá na tua mão. Tua tia Clara deu pr'ocê um rato de borracha, mais ocê num quis sabê dele.

– Ele num era bom de agradá – respondeu Lennie.

A chama do pôr do sol sumiu do topo das montanhas, e o anoitecer caiu sobre o vale, e a semiescuridão penetrou por entre os chorões e os plátanos. Uma grande carpa subiu até a superfície da lagoa, tomou um gole de ar e tornou a afundar misteriosamente na água escura, deixando na superfície d'água anéis que foram se propagando. Lá em cima, as folhas começaram a farfalhar de novo, e pequenos sopros de algodão de salgueiro saíram voando e pousaram sobre a superfície da lagoa.

– Ocê vai buscá aquela madera? – George quis saber. – Tem um monte ali, atrás daquele plátano. Madera de enchente. Agora vai lá buscá.

Lennie foi até atrás da árvore e trouxe um carregamento de folhas secas e galhos. Jogou tudo em cima da pilha de cinzas e voltou para buscar mais e mais. Já era quase noite. As asas de uma pomba sibilaram por sobre a água. George caminhou até a pilha da fogueira e acendeu as folhas secas. A chama estalou por entre os galhos e começou a trabalhar. George desamarrou a trouxa e tirou três latas de feijão lá de dentro. Ficou parado ao lado do fogo, bem perto das chamas, mas sem encostar nas labaredas.

– Aqui tem fejão que chega pra quatro homem – George disse.

Lennie ficou observando-o através da fogueira. Disse, com muita paciência:

– Eu gosto de comê com molho de tomate.

– Bom, a gente não tem nada disso aqui – George explodiu. – Ocê sempre qué tudo que a gente num tem. Pelo amor de Deus, se eu tivesse sozinho, ia consegui vivê bem fácil. Ia arrumá um emprego e trabaiá, sem problema nenhum. Nenhuma confusão, e quando fosse o fim do meis, eu ia podê pegá meus cinquenta pau e ir pra cidade e comprá tudo que eu queria. Ah, eu ia podê passá a noite intera num putero. Ia podê comê em qualqué lugá que eu quisesse, num hotel ou qualqué otro lugá, e ia pedi qualqué coisa que me desse na telha. E ia podê fazê isso todo meis, que porcaria. Ia podê comprá um garrafão de uísque, ou ir numa casa de jogo e fazê uma partida de carta ou de sinuca.

Lennie se ajoelhou e olhou através do fogo para George, que estava bravo. E o rosto de Lennie foi tomado pelo terror.

– E o que é que eu tenho? – George prosseguiu, furioso. – Eu tenho ocê! Ocê num consegue ficá em emprego nenhum e ainda me faiz perdê tudo que é emprego que eu arrumo. Só me faiz ficá andando de cima pra baixo sem pará o tempo intero. E isso aí nem é o pió de tudo. Ocê se mete em confusão. Ocê faiz umas coisa ruim e eu tenho que livrá a sua cara. – Sua voz se elevou em um quase grito. – Seu filho da puta loco. Ocê me mete em apuro o tempo todo. – Assumiu aquele trejeito elaborado de menininhas quando estão imitando umas as outras. – "Só queria pegá no vestido daquela moça... só queria agradá igual se fosse um rato..." Bom, como é que ela ia sabê qu'ocê só queria pegá no vestido dela? Ela desvia d'ocê e ocê continua segurando, como se fosse um rato. Ela grita e a gente precisa ficá o dia intero escondido em uma vala de irrigação, com uns sujeito atrás da gente, e a gente precisa fugi no meio da noite e sumi da região. Tem coisa assim o tempo todo... o tempo todo. Eu bem que queria podê enfiá ocê dentro duma jaula com um milhão de rato e dexá ocê lá se divertindo.

A raiva se esvaiu dele de repente. Olhou através da fogueira para o rosto angustiado de Lennie, e então olhou envergonhado para as chamas.

Já estava bem escuro, mas o fogo iluminava o tronco das árvores e os galhos recurvados acima deles. Lennie arrastou-se cuidadosamente em volta da fogueira até chegar perto de George. Sentou-se sobre os calcanhares. George virou as latas de feijão para que o outro lado ficasse no fogo. Fingiu não perceber que Lennie estava ali tão perto dele.

– George – bem baixinho. Sem resposta. – George!

– O que é qu'ocê qué?

– Eu só tava brincando, George. Num quero molho de tomate nenhum. Eu num ia comê molho de tomate nem que tivesse um pote bem aqui do meu lado.

– Se a gente tivesse molho de tomate, ocê ia podê comê um poco.

— Mas eu num ia comê nada, George. Ia dexá tudo pr'ocê. Ocê ia podê cobri o seu fejão com ele e eu nem ia incostá.

George continuava olhando para a fogueira morosamente.

— Quando eu fico pensando em tudo de bom que eu ia podê fazê se num tivesse ocê cumigo, eu fico loco. Nunca tenho paz.

Lennie continuava ajoelhado. Olhou para dentro da escuridão do outro lado do rio.

— George, ocê qué que eu vô imbora e deixo ocê em paz?

— Pra onde diabos é que ocê ia?

— Bom, sei lá, eu ia. Eu podia ir pr'aquelas montanha ali. Pr'algum lugá onde desse pra achá uma caverna.

— Ah é? E como é que ocê ia comê? Ocê num tem capacidade que chega pra achá alguma coisa pra comê.

— Eu ia achá uma coisa, George. Num preciso de comida gostosa com molho de tomate. Ia ficá lá deitado no sol e ninguém ia fazê maldade cumigo. E quando eu achava um rato, eu ia podê ficá com ele. Ninguém ia tirá ele de mim.

George olhou para ele, severo e com ar de dúvida no rosto.

— Eu fui mau, né?

— Se ocê num qué sabê de mim, posso ir pras montanha e achá uma caverna. Posso ir imbora qualqué hora.

— Num é isso... olha aqui! Eu só tava brincando, Lennie. Porque eu quero qu'ocê fique comigo. O problema co'os rato é qu'ocê sempre mata eles. —

Fez uma pausa. – Vou te dizê uma coisa, Lennie. Na primera chance que tivé, arrumo um cachorrinho pr'ocê. Quem sabe, talvez ocê num vai consegui matá *ele*. Ia sê meió do que um rato. E ocê ia podê agradá ele mais forte.

Lennie evitou a isca. Tinha sentido que estava em vantagem.

– Se ocê num qué sabê de mim, é só falá, e eu vô imbora pr'aquelas montanha bem ali... bem ali naquelas montanha pra vivê sozinho. E daí ninguém vai roubá rato nenhum de mim.

George disse:

– Eu quero qu'ocê fica comigo, Lennie. Jesus Cristo, alguém ia atirá n'ocê achando que era um coiote se ocê tivesse sozinho. Nada disso, ocê fica comigo. Tua tia Clara num ia gostá se ocê ficasse andando por aí sozinho, apesar dela já tê morrido.

Lennie falou, todo engenhoso:

– Me conta... igual que ocê fez antes.

– Contá o quê?

– Dos coelho.

George explodiu:

– Ocê não vai me enrolá.

Lennie implorou:

– Ah, George. Conta. Por favô, George. Igual que ocê fez antes.

– Ocê gosta memo dessa história, né? Tudo bem, vô contá, e depois a gente vai jantá...

A voz de George ficou mais profunda. Repetiu as palavras ritmadamente, como se já as tivesse proferido muitas vezes antes daquela.

– Uns sujeito que nem a gente, que trabaia nas fazenda, é os sujeito mais sozinho do mundo. Essa gente num tem família. Essa gente num pertence a lugá nenhum. Eles vai até uma fazenda e trabaia pra ganhá um dinhero e daí vai pra cidade gastá o dinhero, e logo já tá lá, arrastando o rabo em otra fazenda. Essa gente num tem nada que esperá do futuro.

Lennie ficou deliciado.

– É isso aí... é isso aí. Agora conta aquela parte da gente.

George prosseguiu.

– Com a gente, num é assim. A gente tem futuro. A gente tem alguém com quem conversá, alguém que se importa co'a gente. A gente num precisa ficá sentado em bar nenhum gastando o nosso dinhero só porque num tem otro lugá pra ir. Se um desses sujeito vai pra cadeia, pode apodrecê lá que ninguém tá nem aí. Mas co'a gente é diferente.

Lennie interrompeu:

– *Mas isso num vai acontecê co'a gente! E por quê? Porque... porque eu tenho ocê pra cuidá de mim, e ocê tem eu pra cuidá d'ocê, e é por isso* – riu de tanta alegria. – Agora pode continuá, George.

– Ocê já decorô. Pode continuá sozinho.

– Nada disso, ocê é que sabe contá. Eu isqueço umas coisa. Conta como é que vai sê.

– Tudo bem. Um dia desse... a gente vai juntá um dinhero e vai comprá uma casinha e uns alquere de terra e uma vaca e uns porco e...

– *E vai vivê da terra* – Lennie exclamou. – E vai tê *coelho*. Vai, George! Conta do que a gente vai tê no jardim e dos coelho nas gaiola e da chuva no inverno e do fogão, e da nata do leite que é tão grossa que a gente nem consegue cortá. Conta essas coisa, George.

– Por que é qu'ocê num conta sozinho? Ocê já sabe tudo.

– Nada disso... ocê que sabe contá. Num é a mesma coisa quando eu conto. Vai, George... Conta como é que eu cuido dos coelho.

– Bom – George disse –, a gente vai tê uma horta bem grande e um vivero de coelho e umas galinha. E quando chovê no inverno, a gente só vai mandá o trabaio pro diabo, e a gente vai acendê o fogão e ficá do lado dele só ouvindo a chuva batê no telhado... que locura! – Pegou o canivete. – Num tenho mais tempo pra falá.

Enfiou o canivete ao redor da parte de cima de uma das latas, removeu a tampa e entregou para Lennie. Daí abriu outra lata. Tirou duas colheres do bolso lateral do casaco e deu uma para Lennie. Sentaram-se ao lado do fogo e encheram a boca de feijão e mastigaram com gosto. Alguns feijões escorregaram pelo canto da boca de Lennie. George fez um gesto com a colher.

– O que é qu'ocê vai dizê amanhã, quando o patrão te perguntá as coisa?

Lennie parou de mastigar e engoliu. O rosto estava concentrado.

– Eu... eu num vô falá... nenhuma palavra.

– Muito bem! É isso aí, Lennie! Acho qu'ocê tá melhorando. Quando a gente consegui uns alquere de terra, vô podê dexá ocê cuidá dos coelho memo. Principalmente se ocê consegui lembrá das coisa desse jeito.

Lennie engasgou de tanto orgulho.

– Eu vô lembrá – disse.

George fez outro gesto com a colher:

– Olha, Lennie. Eu quero qu'ocê dê uma boa olhada nesse lugá aqui. Ocê vai consegui lembrá desse lugá, né? A fazenda fica a uns quinhentos metro por ali. É só segui o rio.

– Claro – disse Lennie. – Eu vô lembrá disso. Eu num lembrei que num é pra falá nada?

– Claro que lembrô. Bom, olha. Lennie... se por acaso ocê se metê em confusão como sempre acontece, quero qu'ocê volta direto pra cá e fica escondido no mato.

– Eu vô me escondê no mato – disse Lennie, bem devagar.

– Ocê se esconde no mato até eu vim te buscá. Vai consegui lembrá disso?

– Claro que vô, George. Eu me escondo no mato até ocê chegá.

– Mais ocê num vai se metê em confusão nenhuma, porque se isso acontecê, eu num vou dexá ocê cuidá dos coelho. – Jogou a lata vazia de feijão no mato.

– Eu num vô me metê em confusão nenhuma, George. E num vô falá nenhuma palavra.

– Tudo bem. Traiz a sua troxa aqui pra perto do fogo. Vai sê gostoso de durmi aqui. Olhando lá pra cima, pr'as folha. Pode pará de colocá mais madera na foguera. A gente vai dexá ela apagá sozinha.

Fizeram a cama em cima da areia e, à medida que as chamas foram diminuindo na fogueira, a esfera de luz foi ficando menor; os galhos recurvados desapareceram e só se via um brilho fraco no lugar em que estavam os troncos das árvores. Do meio da escuridão, Lennie chamou:

– George... ocê já durmiu?
– Num durmi. O que é que ocê qué?
– A gente vai podê tê uns coelho de um monte de cor?
– Claro que vamo – George respondeu, sonado. – Uns coelho vermelho e uns azul e uns verde, Lennie. Um milhão de coelho.
– E eles vão sê peludo, George, igual eu vi na fera de Sacramento.
– Claro, bem peludo.
– Porque s'ocê quisé, eu também posso ir imbora, pra morá numa caverna.
– Ocê também pode ir pro inferno – George respondeu. – Agora, vê se cala a boca.

A luz vermelha ia sumindo nas brasas. Lá em cima da montanha, ao lado do rio, um coiote uivou, e um cachorro respondeu da outra margem do riacho. As folhas dos plátanos cochichavam na fraca brisa da noite.

A CASA DOS PEÕES era uma construção comprida e retangular, um tipo de barracão. Lá dentro, as paredes eram caiadas e o chão não tinha pintura. Em três paredes havia janelas quadradas pequenas e, na quarta, uma porta bem sólida com uma tranca de madeira. Encostados na parede havia oito catres, cinco deles arrumados com cobertores e os outros três exibindo o forro de aniagem do colchão. Sobre cada catre havia um caixote de frutas pregado com a abertura para a frente, de modo que formava duas prateleiras para os pertences do ocupante do catre. E as prateleiras estavam cheias de pequenos objetos, sabonete e talco, lâminas de barbear e aquelas revistas de bangue-bangue que os homens das fazendas adoram ler e depois caçoar delas, mas em que acreditam secretamente. E havia remédios nas prateleiras, e pequenos frascos, e pentes; e penduradas nos pregos da lateral dos caixotes, algumas gravatas. Perto de uma parede havia um fogão de ferro fundido preto, com uma chaminé que atravessava o teto. No meio do barracão ficava uma mesa quadrada grande, coberta de cartas de baralho, e em volta dela havia caixotes reforçados para os jogadores se sentarem.

Por volta das dez da manhã, o sol jogava ali uma coluna clara, cheia de poeira, através de uma das janelas laterais, e moscas entravam e saíam do feixe de luz como estrelas cadentes.

A tranca de madeira se ergueu. A porta se abriu e um homem alto, velho, de ombros curvados entrou. Usava calça jeans e carregava uma vassoura grande na mão esquerda. Atrás dele vinha George e, atrás deste, Lennie.

– O patrão tava esperando oceis ontem à noite – o velho disse. – Ficô loco da vida quando viu qu'oceis num tavam aqui pra trabaiá hoje de manhã. – Apontou com o braço direito, e da manga saiu um pulso que mais parecia um pau arredondado, mas não tinha mão. – Oceis pode ficá co'aquelas duas cama ali – disse, indicando os dois catres mais próximos do fogão.

George deu um passo à frente e jogou os cobertores em cima do saco de aniagem cheio de palha que era o colchão. Olhou dentro do caixote-prateleira e pegou uma latinha amarela dali de dentro.

– Diz uma coisa. Que diabo é isso aqui?

– Sei lá – respondeu o velho.

– Aqui diz assim: "Acaba com piolho, barata e outras pragas". Que porcaria de cama que ocê tá dando pra gente? A gente num qué nenhum ninho de rato.

O velho ajudante mudou a vassoura de posição e ficou segurando o cabo entre o cotovelo e a lateral do corpo, ao mesmo tempo que esticou a mão para pegar a lata. Estudou o rótulo com cuidado.

– Vô te dizê uma coisa… – terminou por falar. – O último sujeito que ficô nessa cama aí era ferrero… um sujeito muito agradável, e o sujeito mais limpo qu'ocê já viu na vida. Tinha mania de lavá a mão até *depois* de comer.

– Então, como foi que ele pegô piolho? – Dentro de George ia se formando uma raiva vagarosa. Lennie colocou sua trouxa no catre ao lado e se sentou. Ficou observando George com a boca aberta.

– Vô te dizê uma coisa – respondeu o velho ajudante. – Esse ferrero aí... o nome dele era Whitey... era o tipo de sujeito que espalhava uns negócio desses aí, memo quando num tinha bicho nenhum... só pra tê certeza, sabe como é? Vô te contá o que ele costumava fazê... Na hora de comê, ele descascava as batata cozida e tirava cada manchinha, de qualquer tipo, antes de comê. E se tivesse uma mancha vermelha em um ovo, ele tirava também. Acabô indo imbora por causa da comida. Ele era esse tipo de sujeito... limpo. Tinha mania de se arrumá todo domingo, memo quando num ia a lugá nenhum, ele até colocava gravata, e daí ficava na casa dos pião.

– Num sei não – George disse, cético. – Por que memo foi qu'ocê disse qu'ele foi imbora?

O velho colocou a lata no bolso e afagou o bigode branco espetado com os nós dos dedos.

– Sei lá... ele... só pegô e foi imbora, do jeito que uns home vai. Disse que foi por causa da comida. Mas eu acho que ele só queria sigui em frente. Num falô que era por causa de mais nada fora a cumida. Só veio uma noite e disse assim: "Me paga meu serviço", do jeito que uns home faz.

George levantou o forro do colchão e olhou por baixo. Debruçou-se e inspecionou o enchimento com muita atenção. Lennie se levantou imediatamente e fez a mesma coisa com a cama dele. Afinal, George pareceu satisfeito. Desenrolou sua trouxa e colocou seus pertences na prateleira, a lâmina de barbear e um sabonete, o pente e um frasco de pílulas, o unguento e a munhequeira de couro. Então arrumou bem a cama com os cobertores. O velho disse:

— Acho qu'o patrão vai passá por aqui daqui a uns minuto. Ele ficô nervoso de verdade de vê qu'oceis num tava aqui hoje de manhã. Chegô bem quando a gente tava tomando o café da manhã e disse assim, "Onde diabo tão os trabaiadô novo?". E aproveitô pra discontá no estribero também.

George arrumou um pedaço de tecido enrugado da cama com um tapinha e se sentou.

— Discontô no estribero? – perguntou.

— Claro. Sabe como é, o estribero é preto.

— Preto, é?

— É. E também é um bom camarada. Ficô com as costa alejada no lugá que um cavalo deu um coice nele. O patrão descarrega tudo nele quando tá bravo. Mas o estribero num tá nem aí. Lê muito. Tem uns livro bem bom no quarto dele.

— Que tipo de sujeito é esse patrão? – George perguntou.

— Bom, ele é um sujeito bem justo. Às vezes fica bem loco da vida, mas é um home bom. Vou te dizê uma coisa... sabe o que ele feiz no Natal? Trouxe um garrafão de uísque bem aqui e disse: "Pode bebê, pessoal. O Natal só vem uma vez cada ano."

— Que diabo, num acredito que ele feiz isso! Um garrafão intero?

— Isso memo. Jesus, como a gente se divertiu. Deixaram até o preto entrá naquela noite. Um carrocero chamado Smitty implicou co'o preto. Tava bem alto, também. Os otro num deixaro ele usá os pé, então o preto é que deu um jeito nele. Se tivesse usado os pé, o Smitty disse que ia tê matado o preto. Os otro disse que o preto tinha as costa alejada, e por isso o Smitty não ia podê usá os pé. – Fez uma pausa, saboreando a memória. – Depois todo mundo foi pra Soledad e armô a maió confusão. Eu num fui. Num tenho mais ânimo pra nada disso.

Lennie estava terminando de arrumar a cama. A tranca de madeira se ergueu de novo e a porta se abriu. Um homenzinho corpulento estava parado no batente da porta aberta. Usava calça jeans, camisa de flanela, colete preto desabotoado e um paletó preto. Os polegares estavam enfiados no cinto, cada um de um lado da fivela quadrada de aço. Na cabeça, trazia um chapéu de caubói marrom surrado, e usava botas de salto com espora, para provar que não era trabalhador braçal.

O velho ajudante olhou para ele rapidamente, e então se arrastou até a porta, afagando o bigode com os nós dos dedos enquanto falava.

– Esses sujeito chegaro agorinha memo – disse, e passou se arrastando pelo patrão e saiu pela porta.

O patrão entrou no barracão com os passinhos curtos e rápidos de um homem de pernas roliças.

– Escrevi pro Murray e pro Ready que eu queria dois homens pra hoje de manhã. Oceis têm aí os cupom de trabaio?

George enfiou a mão no bolso, tirou os cupons e entregou para o patrão.

– Não foi culpa do Murray nem do Ready. Diz bem aqui que oceis devia tê chegado pra começá a trabaiá hoje de manhã.

George olhou para os pés.

– Mas o motorista do ônibus num foi honesto co'a gente – respondeu. – A gente teve que andá quinze quilômetro. Ele disse que já tava perto, mais num tava. E a gente num conseguiu carona hoje de manhã.

O patrão apertou os olhos.

– Bom, eu tive que mandá a turma da colheita com dois carregadô a menos. Agora num adianta mais nada sair antes do almoço. – Tirou a caderneta de ponto do bolso e abriu no lugar onde um lápis estava enfiado, no meio das páginas.

George lançou um olhar sugestivo para Lennie, e Lennie assentiu com a cabeça, para mostrar que tinha entendido. O patrão lambeu o lápis.

– Qual é o seu nome?

– George Milton.

– E o seu?

George respondeu:

– Ele chama Lennie Small*.

Os nomes foram anotados na caderneta.

– Vamo vê, hoje é dia 20, meio-dia do dia 20. – Fechou o caderno. – Por onde é qu'oceis já trabaiaram?

– Lá por Weed – George respondeu.

– Ocê também? – perguntou para Lennie.

– É, ele também – respondeu George.

O patrão apontou um dedo irrequieto para Lennie:

– Ele é do tipo que num fala muito, né memo?

– É isso aí, ele num fala memo. Mas trabaia que é uma beleza. Forte que nem um touro.

---

* *Small*: literalmente, "pequeno", em inglês. (N.E.)

Lennie sorriu para si mesmo:

– Forte que nem um touro – repetiu.

George olhou torto para ele, e Lennie deixou a cabeça pender de vergonha por ter esquecido.

O patrão disse de repente:

– Olha aqui, Small, o que é qu'ocê sabe fazê?

Em pânico, Lennie olhou para George em busca de ajuda.

– Ele é capaiz de fazê qualqué coisa que o sinhô mandá – George respondeu. – É um bom carrocero. Sabe carregá saco de cereal e sabe dirigi arado. Ele faiz qualqué coisa. É só pedi.

O patrão se virou para George:

– Então, por que é qu'ocê num deixa ele respondê? O que é qu'ocê tá me aprontando?

George explicou, com a voz bem alta:

– Ah! Num tô dizendo qu'ele é isperto. Porque num é não. Mais digo que é trabaiadô de primera. Ele consegue carregá um fardo de duzentos quilo.

O patrão colocou a caderneta no bolso em um gesto rebuscado. Enfiou os polegares no cinto e apertou um dos olhos até quase fechar.

– Diz uma coisa... o que é qu'ocê tá vendendo?

– Hã?

– Eu perguntei qual é o investimento qu'ocê feiz nesse sujeito aí. Ocê tira o pagamento dele?

– Num tiro não, claro que num tiro. Por que é que o senhor acha que eu tô vendendo ele?

– Bom, nunca vi um sujeito tê tanto trabaio por causa de um otro fulano. Só queria sabê qual é o seu interesse.

George respondeu:

– Ele é meu... primo. Eu prometi pruma senhora que ia tomá conta dele. Ele levô um coice de cavalo na cabeça quando era criança. Ele é um homem bom. Só num é isperto. Mas consegue fazê qualqué coisa que o sinhô pede.

O patrão fez menção de ir embora:

– Bom, Deus bem sabe que ele num precisa de cérebro nenhum pra carregá saco de cevada. Mais ocê que num vem me tentá aprontá alguma, Milton. Tô de olho n'ocê. Por que foi qu'oceis foro imbora de Weed?

– O trabaio terminô – George respondeu prontamente.

– Qual era o tipo de trabaio?

– A gente... a gente tava cavando uma fossa.

– Tudo bem. Mas num vai tentá aprontá nada, porque ocê num vai consegui se safá de nada. Oceis podem sair com a turma da colheita depois do almoço. Eles tão recolhendo a cevada da debulhadora. Oceis pode ficá na turma do Slim*.

– Slim?

– Isso, um sujeito alto e magro. Oceis vão vê ele no almoço. – Deu as costas abruptamente e foi até a porta, mas antes de sair se virou e observou os dois homens durante um longo momento.

Quando o som dos passos dele sumiu, George se virou para Lennie.

– A gente tinha combinado qu'ocê num ia soltá nenhuma palavra. Que ia ficá com esse seu bocão bem fechado e ia dexá eu falá tudo. Caramba, a gente quase perdeu o serviço.

---

* *Slim*: "magro" ou "delgado", em inglês. (N.E.)

Lennie ficou olhando para as mãos, desconsolado.

– Eu isqueci, George.

– É, ocê isqueceu. Ocê sempre isquece, e eu preciso ficá livrando a tua cara. – Sentou-se pesadamente sobre o catre. – Agora ele vai ficá de olho na gente. Agora a gente precisa tomá cuidado pra num saí da linha. Ocê fica co'o seu bocão bem fechado, faiz o favor.

Caiu em um silêncio moroso.

– George.

– O que que foi agora?

– Eu num levei coice de cavalo nenhum na cabeça, né?

– Ia sê muito bom memo se tivesse levado – George respondeu, cheio de malícia. – Ia poupá muito trabaio pra todo mundo.

– Ocê disse que eu era seu primo, George.

– Bom, foi mentira. E fico memo muito feliz que é mentira. Se eu fosse seu parente, ia me matá. – Parou de repente, foi até a porta aberta e deu uma olhada para fora. – Me diz uma coisa, que diabo qu'ocê tá fazendo aí, ouvindo o que a gente tá falando?

O velho entrou no barracão bem devagar. Estava com a vassoura na mão. E em seu encalço vinha um cão pastor arrastando as patas, com o focinho grisalho e olhos claros, cegos e velhos. O cachorro foi tropeçando até o canto do barracão e se deitou, grunhindo baixinho para si mesmo e lambendo a pelagem grisalha e cheia de falhas. O ajudante ficou observando até ele se acomodar.

– Eu num tava ouvindo nada. Só tava ali um pouquinho na sombra, agradando o meu cachorro. Acabei de limpá a casa de banho.

– Ocê tava metendo as orelhona nos nosso assunto – George disse. – Num gosto nem um poco de gente enxerida.

O velho olhou com desconforto de George para Lennie, e depois fez o trajeto inverso.

– Eu tinha chegado agorinha memo – respondeu. – Num ouvi nada do qu'oceis tavam falando. Num tô nem um pouco interessado no qu'oceis tavam dizendo. A gente aqui na fazenda nunca ouve nada nem faiz nenhuma pergunta.

– É verdade memo, num faiz – disse George, um pouco mais tranquilo –, se quisé ficá trabaiando um bom tempo, num faiz memo. – Mas sentiu-se seguro com a defesa do ajudante. – Vem aqui e senta um poco co'a gente – disse. – Esse seu cachorro aí é bem velho.

– É memo. Tenho ele desde filhotinho. Por Deus, ele era um cão pastor danado de bom quando era mais novo. – Apoiou a vassoura na parede e afagou a bochecha pontilhada de fios brancos com os nós dos dedos. – Oceis gostaro do patrão? – perguntou.

– Bem bom. Pareceu razoável.

– Ele é um bom sujeito – concordou o ajudante. – Precisa tratá ele do jeito certo.

Naquele instante, um rapaz entrou na casa dos peões; um jovem magro com rosto moreno, olhos castanhos e a cabeça coberta por um cabelo bem enroladinho. Usava uma luva de trabalho na mão esquerda e, assim como o patrão, usava botas de salto.

– Alguém viu o meu pai? – perguntou.

O ajudante disse:

– Ele tava aqui faiz um minuto, Curley. Foi lá na casa da cozinha, acho.

– Vô tentá alcançá ele – respondeu Curley.

Seus olhos passaram pelos novos trabalhadores e ele fez uma pausa. Olhou para George com frieza e depois para Lennie. Seus braços foram se curvando gradualmente e suas mãos se fecharam em punhos. Ficou com o corpo bem rígido e meio que se acocorou. O olhar dele era ao mesmo tempo calculado e belicoso. Lennie teve um tremor com aquele olhar e começou a mexer os pés com nervosismo. Curley aproximou-se cautelosamente dele.

– Oceis são os sujeito novo que o meu pai tava esperando?

– A gente chegô agorinha memo – respondeu George.

– Deixa o sujeito grande falá.

Lennie se retorceu todo de constrangimento.

George disse:

– E se ele num quisé falá?

Curley fez um trejeito com o corpo.

– Pelo amor de Deus, ele precisa falá quando alguém pergunta alguma coisa pra ele. Por que diabo ocê tá se metendo?

– A gente viaja junto – George respondeu com frieza.

– Ah, então é isso.

George estava tenso, e imóvel.

– É, é isso memo, é sim.

Lennie olhava desesperado para George, em busca de instruções.

– E ocê num deixa este sujeito grande falá, é isso?
– Ele pode falá se ele quisé dizê alguma coisa pr'ocê. – Fez um aceno discreto com a cabeça na direção de Lennie.
– A gente chegô agorinha memo – Lennie disse baixinho.

Curley olhou para ele como quem olha para um ser inferior.

– Bom, da próxima vez é bom respondê quando alguém falá co'ocê. – Virou-se para a porta e foi embora, com os cotovelos ainda um pouco dobrados.

George ficou observando enquanto ele ia embora, então se virou para o ajudante.

– Me diz uma coisa, que diabo é o problema desse sujeito? O Lennie num feiz nada pra ele.

O velho olhou cauteloso para a porta, para se assegurar de que ninguém estava ouvindo.

– Esse aí é o filho do patrão – disse baixinho. – O Curley é bem habilidoso. Já se deu bem memo na arena. Ele é leve, e é habilidoso.

– Bom, ele que vá sê habilidoso pra lá – George disse. – Num precisa ficá pegando no pé do Lennie. O Lennie num feiz nada pra ele. Qual é o problema dele co'o Lennie?

O ajudante refletiu um instante:

– Bom... vô dizê o quê. O Curley é igual a um monte de sujeitinho que tem por aí. Ele sempre fica atiçando os grandão. Tipo como se ele ficasse bravo com eles porque ele num é grande. Ocê já viu uns sujeitinho assim, num viu? Que vive sempre provocando os otro?

– Claro – respondeu George. – Já vi muito sujeito metido a valentão. Mas é melhor que esse Curley aí num me venha se metê a besta com o Lennie. O Lennie num é habilidoso, mas esse moleque desse Curley vai saí bem machucado se importuná o Lennie.

– Bom, o Curley é bem habilidoso – o ajudante disse, de um jeito cético. – Pra mim, nunca me pareceu muito certo. Quando o Curley ataca um sujeito grande e bate nele, todo mundo fica falando que o Curley é memo muito valente. Mais quando ele faiz a mesma coisa e apanha, todo mundo fica falando que o cara grande devia iscolhê alguém do tamanho dele, e às veiz até se juntam pra dá uma surra no sujeito. Pra mim, nunca pareceu muito certo. Parece que o Curley nunca dá chance nenhuma pra ninguém.

George observava a porta. Disse de maneira ameaçadora:

– Bom, é melhor ele tomá cuidado com o Lennie. O Lennie num é de briga, mas é forte e rápido, e o Lennie num segue regra nenhuma.

Caminhou até a mesa quadrada e se sentou sobre um dos caixotes. Juntou algumas cartas e embaralhou.

O velho se sentou em outro caixote:

– Num vai falá pro Curley que eu disse essas coisa. Ele ia me dá uma surra. Ele num tá nem aí. E nunca vai se encrencá, porque é filho do patrão.

George cortou o baralho e começou a virar as cartas, olhando cada uma delas e colocando em uma pilha. Disse:

– Esse tal de Curley me parece o maió filho da puta. Num gosto desses sujeitinho invocado.

— Parece que anda pió agora — respondeu o ajudante. — Ele casô faiz umas semana. A muié mora na casa do patrão. Parece que o Curley ficô ainda mais invocado depois que casô.

George grunhiu:

— Vai vê que ele tá se exibindo pra patroa.

O ajudante começou a se animar com a fofoca.

— Ocê viu a luva na mão isquerda dele?

— Vi. Vi sim.

— Bom, aquela luva é cheia de vaselina.

— Vaselina? Por que diabo?

— Bom, vou te dizê por quê... O Curley fala que qué dexá aquela mão bem macia pra muié dele.

George estudava as cartas com muita concentração.

— Essa é uma coisa bem feia de ficá contando por aí.

O velho sentiu-se seguro. Tinha conseguido arrancar uma afirmação pejorativa de George. Achava que tinha ficado a salvo, e falou com mais segurança:

— Espera só até vê a muié do Curley.

George cortou o baralho de novo e colocou na mesa um jogo de paciência, lenta e deliberadamente.

— Bunita? — perguntou como quem não quer nada.

— É, é bunita sim... mais...

George continuava estudando as cartas.

— Mais o quê?

— Bom... ela fica olhando pra todo mundo.

— Ah é? Casou faz duas semana e já fica olhando pra todo mundo? Talveiz é por isso que o Curley tá que num discansa.

– Já vi ela olhando pro Slim. O Slim é um tremendo carrocero. Um sujeito bom de verdade. O Slim num precisa ficá andando de bota de salto no meio da turma da colheita. Já vi ela olhando pro Slim. O Curley nunca viu. E também já vi ela olhando pro Carlson.

George fingiu que não estava nem um pouco interessado:

– Parece que a gente vai se diverti bastante.

O ajudante se levantou do caixote.

– Sabe o que que eu acho?

George não respondeu.

– Bom, acho que o Curley casô com uma... vagabunda.

– Não é o primeiro – George disse. – Muita gente já fez isso.

O velho se dirigiu para a porta e seu cachorro ancião levantou a cabeça e olhou em volta, depois se levantou com muita dificuldade para segui-lo.

– Preciso ir arrumá as bacia de lavá pro pessoal. As turma vão chegá daqui a pouco. Oceis vão colhê cevada?

– Vamo.

– E ocê num vai contar pro Curley nada do que eu disse?

– Que diabo, claro que num vô.

– Bom, ocê vai vê co'os seus próprio olho. Depois me diz se ela num é memo uma vagabunda. – Saiu pela porta para o sol que brilhava.

George colocou as cartas na mesa, pensativo, foi virando de três em três. Colocou quatro cartas de paus na pilha do ás. O quadrado de sol agora estava no chão, e as moscas passavam por ele como fagulhas. Um barulho de arreios tilintantes e o ranger de eixos que carregavam muito peso vieram lá de fora. À distância, ouviu-se um grito bem nítido:

– Estribero, ô, estribero!

E depois:

– Onde diabo tá aquele preto maldito?

George ficou olhando para o seu jogo de paciência, então juntou as cartas e se virou para Lennie. Lennie estava deitado no catre, olhando para ele.

– Olha, Lennie. Num tô brincando. Tô morrendo de medo. Ocê vai se dá mal co'aquele tal de Curley. Já vi gente que nem ele antes. Ele tava meio que sentindo o terreno. Ele acha que, se assustá ocê bastante, vai te dá uma surra na primeira chance que tivé.

Os olhos de Lennie estavam cheios de medo.

– Num quero confusão – disse, em tom de reclamação. – Num deixa ele me dá uma surra, George.

George se levantou, foi até o catre de Lennie e se sentou.

– Detesto esse tipo de idiota – disse. – Já vi um montão de gente que nem ele. Como os velho dizem, o Curley num arrisca nada. Ele sempre ganha. – Ficou pensativo por um instante. – Se ele vié mexê co'ocê, Lennie, a gente vai tê que engoli tudo. Num vai achá que pode sê diferente. Ele é filho do patrão. Olha bem, Lennie. Tenta ficá longe dele, tá? Nem fala com ele. Se ele entrá aqui, ocê vai direto pro otro lado. Ocê entendeu bem, Lennie?

– Num quero confusão nenhuma – Lennie se lamentou. – Nunca fiz nada pra ele.

— Bom, isso num vai adiantá de nada se o Curley tivé a fim de puxá uma briga. É só ficá bem longe dele. Ocê vai lembrá?

— Claro, George. Num vô falá nada.

O barulho das turmas de colheita ficou mais alto, a batida de cascos pesados no chão duro, o arrastar dos freios e o tilintar das correntes das rédeas. Os homens de uma turma e de outra gritavam entre si. George, sentado no catre ao lado de Lennie, franzia o rosto enquanto pensava. Lennie perguntou, acanhado:

— Ocê num tá bravo, tá, George?

— Num tô bravo co'ocê. Tô bravo co'aquele imbecil daquele tal de Curley. Achei que a gente ia consegui juntá um dinheirinho aqui... quem sabe uns cem dólar. — Seu tom ficou cheio de decisão: — Ocê fica bem longe do Curley, Lennie.

— Claro que sim, George. Num vô falá nenhuma palavra.

— Num deixa ele irritá ocê... mas... se o filho da puta vié te dá uma surra... pode mostrá pra ele o que que é bom.

— O que que é bom, George?

— Nada, nada. Quando chegá a hora, eu te falo. Detesto gente desse tipo. Olha, Lennie, se ocê se metê em alguma confusão, ocê lembra do que eu te disse que era pra fazê?

Lennie se ergueu sobre um cotovelo. O rosto se contorceu com o esforço mental. Daí virou os olhos tristemente na direção do rosto de George:

— Se eu me metê em confusão, ocê num vai me dexá cuidá dos coelho.

– Num é disso que eu tô falando. Lembra quando a gente dormiu ontem à noite, perto do rio?

– Lembro, lembro sim. Ah, é claro que eu lembro! Eu vô lá e me iscondo no mato.

– Fica iscondido até eu te buscá. Num deixa ninguém te vê. Fica iscondido no mato perto do rio. Repete tudo.

– Fico iscondido no mato perto do rio, no mato perto do rio.

– Se ocê se metê em confusão.

– Se eu me metê em confusão.

Um freio rangeu lá fora. Veio um grito:

– Estribero, ô, estribero!

George disse:

– Fala otra vez pr'ocê memo, Lennie, pr'ocê num se isquecê.

Os dois homens ergueram o olhar, porque o retângulo de luz da porta tinha sido invadido. Lá estava uma moça olhando para dentro. Tinha lábios cheios, cobertos de batom, e olhos bem espaçados, cobertos de maquiagem. As unhas das mãos eram vermelhas. O cabelo caía em cachos enroladinhos, parecidos com salsichas. Usava um vestido de chita de algodão e tamancos vermelhos enfeitados com peninhas vermelhas de avestruz.

– Tô procurando o Curley – ela disse. Sua voz era anasalada e estridente.

George desviou o olhar dela e depois olhou de novo.

– Ele tava aqui faiz um minuto, mais foi imbora.

– Ah! – colocou as mãos nas costas e se apoiou no batente da porta, de modo que seu corpo se projetou para a frente. – Oceis são os sujeito que chegaro agorinha memo, né?

– A gente é, sim.

Os olhos de Lennie examinaram o corpo dela de cima a baixo, e apesar de parecer que ela não estava olhando para Lennie, estremeceu um pouco. Olhou para as unhas.

– Às veiz, o Curley fica aqui – explicou.

George disse, bruscamente:

– Bom, ele num tá aqui agora.

– Se num tá, é meió eu procurá em otro lugá – disse, em tom alegre.

Lennie ficou olhando para ela, fascinado. George disse:

– Se eu encontrá com ele, pode dexá que falo qu'ocê tá procurando ele.

Ela abriu um enorme sorriso e retorceu o corpo.

– Ninguém pode falá mal de otra pessoa por tá procurando – respondeu. Ouviram-se passos atrás dela, chegando mais perto. Ela virou a cabeça.

– Oi, Slim – disse.

A voz de Slim entrou pela porta:

– Oi, bunitona.

– Tô tentando achá o Curley.

– Bom, a sinhora num tá tentando muito, não. Acabei de vê ele entrando na sua casa.

De repente, ela ficou apreensiva.

– Tchau, pessoal – gritou para dentro da casa dos peões e saiu, apressada.

George virou-se e olhou para Lennie.

– Caramba, que vagabunda – disse. – Então foi essa aí que aquele tal de Curley pegô pra muié.

— Ela é bunita — Lennie disse, na defensiva.

— É, e com certeza faiz memo muita questão de escondê. O Curley arrumô uma bela dor de cabeça. Aposto que ela largava ele por vinte pau.

Lennie continuava olhando para a porta, no lugar onde ela estivera:

— Deus, ela era bunita — sorriu, cheio de admiração.

George olhou rápido para ele, então pegou-o pela orelha e o sacudiu.

— Ouve bem o que eu vô dizê, seu idiota loco — disse, com muita firmeza. — Nem pensa em olhá pr'essa puta. Num importa o que ela vai dizê nem fazê. Já vi muié venenosa antes, mas nunca vi uma chave de cadeia que nem essa daí. Deixa ela pra lá.

Lennie tentou livrar a orelha.

— Eu nem fiz nada, George.

— É, num feiz memo. Quando ela tava lá parada na porta mostrando as perna, ocê também num olhô pro otro lado.

— Eu num fiz por mal, George. Juro, num fiz memo.

— Bom, ocê me faiz o favô de ficá longe dela, porque se eu já vi uma ratoera, é ela. Deixa que o Curley se vira sozinho. Foi ele que se meteu nessa. Luva cheia de vaselina, sei — George disse, com nojo. — E aposto que ele come ovo cru e manda carta pras firma de remédio milagroso.

Lennie exclamou, de repente:

— Num gostei desse lugá, George. Esse lugá num é bom. Quero ir embora.

— A gente vai ficá aqui até juntá uma grana. Não dá pra fazê diferente, Lennie. A gente vai embora assim que dé. Eu também num gostei nada, igual ocê. — Voltou para a mesa e colocou outra partida da paciência. — É, num gostei memo – disse. — Num precisava de muito pra me fazê ir embora daqui. Se a gente consegui juntá uns dólar, a gente vai ir pro rio Americano pra garimpá ouro. Quem sabe lá a gente num ganha uns dólar por dia, e quem sabe a gente num acha uma jazida?

Lennie se inclinou na direção dele, ansioso.

— Vamo lá, George. Vamo embora daqui. Aqui é ruim.

— A gente tem que ficá – George disse, seco. — Agora, cala a boca. O pessoal tá chegando.

Da casa de banhos ali perto veio o som de água corrente e de bacias batendo umas nas outras. George estudou as cartas.

— Acho que a gente devia ir se lavá – disse. — Mas a gente num feiz nada pra se sujá.

Um homem alto estava parado à porta. Segurava um chapéu de caubói amassado embaixo do braço ao mesmo tempo em que penteava para trás o cabelo comprido, preto e molhado. Assim como os outros, usava jeans e uma jaqueta de brim curta. Quando terminou de pentear o cabelo, entrou na casa, e se movia com aquela majestade que só a realeza e os artesãos de primeira linha possuem. Era um tremendo carroceiro, o príncipe da fazenda, capaz de guiar dez, dezesseis mulas com uma rédea só atrelada aos arreios. Era capaz de matar uma mosca na traseira de uma mula com uma chicotada, sem encostar no animal. Seus trejeitos eram tão cheios de gravidade e de uma calma tão profunda que todo mundo parava de conversar quando ele falava. A autoridade dele era tão grande que todo mundo considerava o que ele dizia a respeito de qualquer assunto, fosse política ou amor. Tratava-se de Slim, o melhor carroceiro. Seu rosto bem-talhado não tinha idade. Podia ter 35 ou cinquenta anos. Seus ouvidos captavam mais do que era dito a ele, e seu discurso vagaroso tinha o tom não da consideração, mas da compreensão além da consideração. As mãos, grandes e delgadas, eram tão delicadas no agir quanto as de um dançarino de corpo de baile.

Alisou o chapéu amassado, levantou a parte do meio e colocou na cabeça. Olhou com simpatia para os dois homens que estavam dentro da casa dos peões.

– Tá claro pra caralho lá fora – disse, simpático. – Mal dá pra enxergá. Oceis são os trabaiadô novo?

– A gente chegô agorinha memo – disse George.

– Oceis vêm colhê cevada comigo?

– Foi o que o patrão disse.

Slim sentou-se em um caixote do outro lado da mesa, na frente de George. Estudou o jogo de paciência que estava de ponta-cabeça para ele.

– Tomara que oceis fique memo na minha turma – disse. A voz dele era muito gentil. – Tem uns moleque na minha turma que num sabe a diferença entre uma saca de cevada e uma bola azul. Oceis já trabaiaro com cevada?

– Ah, a gente trabaiô sim – respondeu George. – Num é pra se exibi, mais aquele sujeito grandão ali consegue ensacá mais grão sozinho do que muita dupla que tem por aí.

Lennie, que estivera acompanhando a conversa com os olhos que iam de um para o outro, sorriu de maneira complacente ao ouvir o elogio. Slim olhou para George com aprovação por ter elogiado o amigo. Debruçou-se sobre a mesa e tirou o canto de uma carta solta.

– Oceis dois viaja junto? – Seu tom era simpático. Suscitava confiança, sem exigi-la.

– Claro – respondeu George. – A gente meio que cuida um do otro. – Apontou para Lennie com o polegar. – Ele num é nada isperto. Mas trabaia bem que nem o diabo. É um sujeito danado de bom, mas num é nada isperto. A gente se conhece faiz um tempão.

Slim olhou através de George e além dele:

– Num tem muita gente que viaja junto – considerou. – Num sei por quê. Acho que todo mundo nessa porcaria de terra tem medo um do otro.

– É muito meió andá por aí acompanhado, sabe como é – disse George.

Um homem forte e barrigudo entrou na casa dos peões. Ainda pingava água da cabeça dele, recém-lavada e enxaguada.

– Oi, Slim – disse, então parou e olhou para George e Lennie.

– Esses sujeito chegaro agorinha memo – disse Slim, fazendo a apresentação.

– Prazê em conhecê oceis – disse o gordo. – Eu me chamo Carlson.

– Eu sô o George Milton. Esse aqui é o Lennie Small.

– Prazê em conhecê oceis – Carlson disse de novo. – Ele num é muito pequeno. – Riu baixinho com a piada que fez. – Num é pequeno memo – repetiu. – Eu queria te perguntá, Slim... Cadê a tua cadela? Ela num tava embaxo da tua carroça hoje de manhã.

– Ela deu cria ontem à noite – Slim respondeu. – Nove. Afoguei quatro na mesma hora. Ela num ia consegui criá todos.

– Sobrô cinco, é?

– É, cinco. Eu fiquei co'o maior.

– Que tipo de cachorro ocê acha que eles vai sê?

– Sei lá – respondeu Slim. – Tipo pastor, acho. Foi o tipo que mais andô por aqui quando ela tava no cio.

Carlson prosseguiu:

– Ocê tem cinco cachorrinho, é? Vai ficá com todos?

– Num sei. Preciso ficá com eles um pouco, pr'eles podê mamá o leite da Lulu.

Carlson disse, todo pensativo:

– Bom, olha aqui, Slim. Eu tava pensando. Aquele cachorro do Candy tá tão velho que mal consegue andá. Também fede que é o diabo. Cada veiz que ele entra na casa de pião, fico sentindo o cheiro dele uns dois, treis dia. Por que que ocê num fala pro Candy matá aquele cachorro e dá um filhotinho pra ele criá? Eu sinto o cheiro daquele cachorro a um quilômetro de distância. Num tem mais dente, tá quase cego, num consegue comê. O Candy dá leite pra ele. Ele num consegue mastigá nada.

George estivera observando Slim com muita atenção. De repente, um triângulo começou a tocar lá fora, primeiro devagar, e depois cada vez mais rápido, até que os toques se transformaram em um tinido contínuo. Parou da mesma maneira repentina como tinha começado.

– Lá vai ela – Carlson disse.

Lá fora, ouviram-se muitas vozes quando um grupo de homens passou.

Slim se levantou lentamente, com dignidade.

– É meió oceis ir lá enquanto ainda tem alguma coisa pra comê. Daqui a uns minuto num vai sobrá mais nada.

Carlson deu um passo atrás para deixar Slim ir na frente, e então os dois saíram pela porta.

Lennie observava George cheio de ansiedade. George juntou as cartas em uma pilha bagunçada.

– Certo! – George disse. – Eu ouvi o que ele disse, Lennie. Vô pedi pra ele.

– Um marrom e branco – Lennie exclamou, todo animado.

– Bom, vem comigo. A gente vai almoçá. Num sei se ele tem algum marrom e branco.

Lennie não se mexeu do catre.

– Pede logo, George, pra ele num matá mais nenhum.

– Claro. Vamo lá, levanta aí.

Lennie rolou sobre o catre e se levantou, e os dois foram até a porta. Bem quando a alcançaram, Curley entrou.

– Oceis viro uma moça por aqui? – quis saber, nervoso.

George respondeu com frieza:

– Ela teve aqui faiz uma meia hora, acho.

— Bom, que diabo ela tava fazendo?

George ficou parado, olhando para o homenzinho bravo. Disse, cheio de insulto na voz:

— Ela disse... que tava atrais d'ocê.

Parecia que aquela era a primeira vez que Curley havia enxergado George de fato. Seus olhos o examinaram, registrando a altura, a força, o corpo em forma.

— Bom, pr'onde é que ela foi? — perguntou, assertivo, afinal.

— Sei lá — respondeu George. — Num vi pr'onde é que ela foi.

Curley lançou um olhar de desdém para ele, se virou e saiu apressado pela porta.

George disse:

— Sabe, Lennie, tô achando que vô tê que me engalfinhá pessoalmente co'esse idiota. Detesto gente desse tipo até o último fio de cabelo. Jesus Cristo! Vamo lá. Num vai sobrá nada pra gente comê.

Saíram pela porta. O sol formava uma linha fina sob a janela. Ao longe, ouviam-se louças batendo.

Depois de um instante, o cachorro velho entrou mancando pela porta. Deu uma olhada em torno de si com seus olhos meio cegos e gentis. Cheirou o ar, então se deitou e colocou a cabeça entre as patas. Curley apareceu à porta de novo e ficou lá, olhando para o barracão. O cachorro ergueu a cabeça, mas quando Curley foi embora, a cabeça grisalha se afundou no chão novamente.

Apesar de a claridade do anoitecer penetrar pelas janelas da casa dos peões, lá dentro estava escuro. Pela porta aberta vinham os ruídos abafados e os tinidos de um jogo de ferradura, e, de vez em quando, o som das vozes que se erguiam em sinal de aprovação ou de lamento.

Slim e George entraram juntos na casa dos peões escura. Slim esticou o braço por sobre a mesa de jogo e ligou o abajur elétrico de lata. Instantaneamente, a mesa se iluminou, e o cone da cúpula mandou a luz direto para baixo, deixando os cantos da casa dos peões ainda imersos na escuridão. Slim sentou-se em um caixote e George tomou o lugar na frente dele.

– Num foi nada – Slim disse. – Eu ia tê memo que afogá a maioria. Nem precisa agradecê.

George disse:

– Talveiz num tenha sido muita coisa pr'ocê, mas foi memo muito importante pra ele. Jesus Cristo, num sei como é que a gente vai consegui fazê ele dormi hoje. Ele vai querê dormi lá no celero com eles. A gente vai tê dificuldade de convencê ele a num entrá na caixa co'os cachorrinho.

– Num foi nada – Slim repetiu. – Olha, ocê tava memo certo quando falô dele. Acho que ele num é memo muito isperto, mais eu nunca vi ninguém trabaiá que nem ele. Ele quase matô o sujeito que tava trabaiando co'ele. Ninguém consegue acompanhá o ritmo dele. Por Deus todo-poderoso, nunca vi um sujeito tão forte assim.

George falou cheio de orgulho:

– É só falá pro Lennie o que ele tem que fazê e ele faiz, desde que ele num tenha que pensá muito. Ele num consegue pensá em nada sozinho, mais com certeza sabe obedecê ordem.

Ouviu-se uma ferradura bater contra um ferro lá fora, e a comemoração de vozes que veio a seguir.

Slim moveu-se um pouco para trás, para a luz não ficar em seu rosto.

– É engraçado o jeito qu'ocê e ele anda junto.
– Era a maneira calma de Slim de convidar a uma confidência.

– O que que tem de ingraçado? – George quis saber, na defensiva.

– Ah, sei lá. É difícil achá dois sujeito que viaja junto. Ocê sabe como esses trabaiadô é, eles chega na fazenda, pega uma cama e trabaia um meis, e daí larga o trabaio e vai embora sozinho. Parece que nunca se importa com ninguém. É meio engraçado um tonto que nem ele e um sujeito isperto que nem ocê viajando junto.

– Ele num é tonto – George disse. – Ele é burro feito uma porta, mas num é loco. E eu também num sô tão isperto assim, se não num ia tá aqui carregando cevada pra ganhá cinquenta pau e a comida. Se eu fosse isperto, nem que fosse só um poco mais isperto, ia tê minha terra, e ia cuidá da minha própria plantação, em veiz de trabaiá tanto e não ficá com nada que sai da terra. – George ficou em silêncio. Queria falar.

Slim nem o incentivou nem o desencorajou. Só ficou lá sentado, quieto e receptivo.

– Num tem nada assim de tão ingraçado nele e eu andando junto – George disse afinal. – Ele e eu, a gente nasceu em Auburn. Eu conhecia a tia Clara dele. Ela pegô ele quando era bebê e criô. Quando a tia Clara dele morreu, o Lennie acabô me acompanhando no trabaio. A gente meio que se acostumô um com o otro depois de um tempo.

– Hmm – disse Slim.

George olhou para Slim e viu os olhos calmos e bondosos sobre si.

– Ingraçado – disse George. – Eu costumava me diverti muito com ele. Costumava fazê piada porque ele era burro dimais pra cuidá dele memo. Mais ele era tão burro que nem entendia que a piada era com ele. Eu me divertia. Ficava me achando o maió isperto do lado dele. Porque ele fazia qualquer coisa que eu mandava ele fazê. Se eu mandasse ele pulá de um penhasco, pode dexá que ele pulava. Mais, depois de um tempo, ficô sem graça. E ele também nunca ficava bravo. Eu já dei muita surra nele, e ele podia tê esmagado cada osso do meu corpo só com as mão, mas nunca levantô nenhum dedo contra mim. – A voz de George estava assumindo um tom confessional. – Vô te dizê o que me feiz pará com isso tudo. Um dia, tava com uns sujeito ali por perto do rio Sacramento. Eu tava me sentindo o maió isperto. Virei pro Lennie e mandei ele pulá no rio. Ele pulô. Num conseguiu dá nem uma braçada. Quase se afogou antes da gente consegui tirá ele de lá. E ele ficô todo agradecido porque a gente tinha tirado ele de lá. Tinha isquecido até que era eu que tinha mandado ele pulá. Bom, depois disso, nunca mais fiz essas coisa.

– Ele é um bom sujeito – disse Slim. – A gente num precisa sê inteligente pra sê bom. Às veiz, eu fico achando que é bem o contrário. Se a gente pega um sujeito bem isperto, ele quase nunca é um sujeito bom de verdade.

George juntou as cartas soltas e começou a colocar uma partida de paciência na mesa. As ferraduras faziam barulho lá fora. Nas janelas, a luz do anoitecer ainda deixava claros os quadrados de vidro.

– Eu num tenho ninguém – George disse. – Já vi os sujeito que anda pelas fazenda sozinho. Isso num é nada bom. Eles num se diverte nada. Depois de um tempo, eles fica tudo maldoso. Fica querendo arrumá briga o tempo todo.

– É, eles fica cheio de maldade memo – Slim concordou. – Tanto que nem qué sabê de conversá co'os otro.

– Claro que o Lennie é um aborrecimento a maió parte do tempo – George disse. – Mais depois que a gente se acostuma a andar por aí com um sujeito, num dá mais pra dispensá ele.

– Ele num é maldoso – Slim disse. – Dá pra vê que o Lennie num tem nem um pouquinho de maldade.

– Claro que ele num é maldoso. Ele se mete em confusão o tempo todo porque é burro dimais. Tipo o que aconteceu em Weed... – Parou enquanto virava uma carta. Pareceu amedrontado e olhou para Slim: – Ocê num conta pra ninguém?

– O que foi que ele aprontô em Weed? – Slim perguntou calmamente.

– Ocê num conta memo?... Não, é claro que ocê num conta.

– O que foi que ele aprontô em Weed? – Slim perguntou de novo.

– Bom, ele viu uma menina de vestido vermelho. Imbecil e burro como ele é, qué pegá em tudo que gosta. Só queria pegá no tecido. Então, ele esticô o braço pra pegá no tecido vermelho e a moça soltô um grito, e o Lennie ficô todo atrapalhado, e ficô lá segurando porque só conseguia pensá naquilo. Bom, a moça começô a gritá sem pará. Eu só tava um pouco afastado, e ouvi a gritaria, então vim correndo, e quando cheguei o Lennie tava tão assustado que num conseguia pensá em largá. Bati na cabeça dele com um mourão de cerca pra ele soltá. Tava com tanto medo que não conseguiu largá o vestido. E ele é forte que nem o diabo, ocê sabe.

Os olhos de Slim estavam fixos e não piscavam. Assentiu com a cabeça, bem devagar.

– Então, o que foi que aconteceu?

George montou sua fileira de cartas desparelhadas com cuidado.

– Bom, a moça resolveu colocá a boca no trombone e falá prum guarda que tinha sido estuprada. O pessoal de Weed organizô um bando pra linchá o Lennie. Então a gente se enfiô em uma vala de irrigação embaixo d'água e ficô lá o resto do dia. A gente só ficô co'a cabeça pra fora, no cantinho da vala. E, na mesma noite, a gente fugiu de lá.

Slim ficou parado, em silêncio, por um instante.

– E ele num machucô a moça memo, né? – acabou por perguntar.

– Caramba, num machucô não. Só assustô ela. Eu também ia ficá morrendo de medo se ele tivesse me agarrado. Mas ele num machucô ela, não. Ele só queria pegá no vestido, igual ele sempre qué ficá agradando os filhotinho.

– Ele num é maldoso – disse Slim. – Eu sei muito bem quando um sujeito é maldoso, percebo a um quilômetro de distância.

– Claro que ele num é. Ele faiz qualquer coisa que eu...

Lennie entrou pela porta. Usava o casaco de brim sobre os ombros como uma capa, e caminhava meio inclinado para a frente.

– Oi, Lennie – disse George. – E aí, gostô do cachorrinho?

Lennie disse, quase sem fôlego:

– Ele é marrom e branco, bem que nem eu queria.

Foi diretamente para seu catre e se deitou, virou para a parede e colocou os joelhos perto do corpo.

George colocou as cartas na mesa em um gesto deliberado.

– Lennie – disse com muita firmeza.

Lennie torceu o pescoço e olhou por cima do ombro.

– Hã? O que é qu'ocê qué, George?

– Eu falei pr'ocê que num pudia trazê o cachorrinho pra cá.

– Que cachorrinho, George? Num tem cachorrinho nenhum aqui.

George foi até ele, agarrou-o pelo ombro e fez

com que se virasse. Esticou a mão e pegou o cachorrinho minúsculo que Lennie estava escondendo encostado na barriga.

Lennie se sentou com rapidez.

– Me dá aqui, George.

George disse:

– Pode levantá agora memo e levá esse cachorrinho de volta pra caxa dele. Ele tem que dormi co'a mãe dele. Ocê qué matá ele? Acabô de nascê ontem à noite e ocê já tira ele de perto da mãe dele. Pode ir levando agora memo, se não eu vô falar pro Slim num te dá mais ele.

Lennie esticou as mãos em um gesto de súplica:

– Dá ele aqui pra mim, George. Eu levo de volta. Eu num quis fazê mal, George. Juro que num quis. Só queria agradá ele um poquinho.

George entregou o cachorrinho para ele.

– Tudo bem. Leva ele de volta rapidinho, e deixa ele lá. Ocê vai matá ele sem percebê.

Lennie saiu apressado da casa.

Slim não tinha se movido. Seus olhos calmos seguiram Lennie porta afora.

– Jesus – disse. – Ele é igualzinho uma criança, né?

– Claro, é igualzinho uma criança. Também num traiz dentro dele mais maldade do que uma criança, só que ele é forte dimais. Aposto que ele num vem dormi aqui hoje à noite. Ele vai dormi bem do lado daquela caxa no celero. Bom, dexa ele dormi. Lá ele num vai fazê mal pra ninguém.

Àquela altura já estava quase escuro lá fora. O velho Candy, o ajudante, entrou e foi até seu catre, e atrás dele veio cambaleando o cachorro velho.

— Oi, Slim. Oi George. Oceis dois num foi jogá ferradura?

— Num gosto de jogá toda noite — disse Slim.

Candy prosseguiu:

— Algum d'oceis tem um gole de uísque? Tô com dor de barriga.

— Eu num tenho — Slim respondeu. — Se tivesse, bebia eu memo. E olha que nem tô com dor de barriga.

— Tô co'uma tremenda dor de barriga — Candy disse. — Foi aquela porcaria de nabo. Eu já sabia que ia ficá com dor de barriga até antes de comê.

O parrudo Carlson chegou do pátio que estava ficando escuro. Caminhou até o outro lado da casa dos peões e acendeu o segundo abajur.

— Aqui tá mais escuro que no inferno — disse. — Jesus, como aquele preto sabe jogá ferradura.

— Ele é bem bom memo — Slim disse.

— Caramba, se é — disse Carlson. — Ele não dá chance pra ninguém mais ganhá... — Parou e cheirou o ar e, sem parar de cheirar, abaixou os olhos até o cachorro velho. — Pelo amor de Deus, que cachorro mais fidido. Tira ele daqui, Candy! Não conheço nada mais fedorento do que esse cachorro. Ocê precisa tirá ele daqui.

Candy rolou até a beirada do catre, esticou a mão e fez um agradinho no cachorro velho, e pediu desculpa:

— Fico tanto tempo perto dele que nem sinto o chero.

— Bom, eu num aguento ele aqui — disse Carlson. — Esse fedô continua até depois que ele vai embora. — Caminhou com seus passos pesadões e olhou para o cachorro. – Ele nem tem dente – disse. – Tá todo duro de reumatismo. Ele num traiz nada de bom pr'ocê, Candy. Nem pra ele memo. Por que ocê num sacrifica ele, Candy?

O velho se contorceu, desconfortável.

– Mas que diabo! Ele é meu faiz tanto tempo. Ele é meu desde que era filhotinho. Eu criava ovelha com ele. – Disse, todo orgulhoso: – A gente nem vê quando olha pra ele agora, mas foi o melhor cão pastor que eu já vi na minha vida.

George disse:

– Vi um sujeito em Weed que tinha um terrier que cuidava das ovelha. Ele aprendeu co'os otro cachorro.

Carlson não ia desistir com facilidade.

– Olha, Candy, esse cachorro velho só vive sofrendo. Se ocê levasse ele pra longe e desse um tiro bem na nuca dele... – abaixou-se e apontou – bem aqui, imagina só, ele nem ia sabê o que tinha acontecido.

Candy olhou para os lados, infeliz.

– Num vô fazê isso, não – disse baixinho. – Ah, eu num ia consegui fazê isso. Ele já é meu faiz tempo demais.

– Ele num se diverte mais nada – Carlson insistiu. – E ele fede que nem o inferno. Vô te dizê uma coisa. Eu mato ele pr'ocê. Aí num vai tê sido obra sua.

Candy jogou as pernas para fora do catre. Coçou os pelinhos da barba branca da bochecha com nervosismo.

– Eu acostumei tanto com ele – disse baixinho. – Ele é meu desde filhotinho.

– Bom, mas ocê num tá sendo nada bondoso com ele deixando ele vivê – disse Carlson. – Olha, a cadela do Slim acabô de tê uma ninhada. Aposto que o Slim te dava um dos cachorrinho pra criá, num dava, Slim?

O carroceiro estivera estudando o cachorro velho com seus olhos calmos.

– É – respondeu. – Ocê pode ficá com um cachorrinho se quisé. – Pareceu dar uma tremida para se livrar do que sentia e conseguir falar. – O Carl tá certo, Candy. Esse cachorro aí num tá fazendo bem nenhum pra ele memo. Se eu ficasse velho e aleijado, bem que eu ia querê que alguém me matasse.

Candy olhou desamparado para ele, já que as opiniões de Slim eram a lei.

– Vai vê que ia doê – sugeriu. – Eu num ligo de tê que tomá conta dele.

Carlson disse:

– Do jeito que eu ia atirá nele, ele num ia senti nada. Eu ia colocá o revólver bem aqui. – Apontou com o dedo do pé. – Bem na nuca. Ele nem ia tremê.

Candy procurou ajuda de rosto em rosto. Lá fora já estava bem escuro. Um jovem rapaz de lida entrou. Seus ombros caídos eram curvados para a frente e ele caminhava pisando forte nos calcanhares, como se estivesse carregando uma saca invisível de cereais. Foi até o catre dele e colocou o chapéu na prateleira. Então pegou uma revista barata de dentro do caixote e a aproximou do abajur da mesa.

– Eu já te mostrei isso aqui, Slim? – perguntou.
– Mostrô o quê?

O jovem virou a parte de trás da revista e apontou com o dedo.

— Bem aqui, lê isso aqui. — Slim se debruçou sobre o papel. — Vai – disse o rapaz. — Lê em voz alta.

— "Caro editor:" — Slim leu lentamente. — "Já leio a sua revista faz seis anos, e acho que é a melhor que existe no mercado. Gosto das histórias de Peter Rand. Acho que ele é mesmo muito bom. O senhor devia colocar mais histórias como a do Cavaleiro Negro. Eu não tenho o costume de escrever cartas. Só achei que devia dizer ao senhor que acho que os dez centavos que eu gasto com a sua revista são os mais bem gastos."

Slim levantou os olhos, sem entender nada:
— Por que é qu'ocê quis que eu lesse isso?
Whit respondeu:
— Continua, lê o nome que tá aí embaixo.
Slim leu:
— "Desejo-lhe todo o sucesso, William Tenner." — Ergueu os olhos de novo para Whit. — Por que é qu'ocê quis que eu lesse isso?

Whit fechou a revista cheio de trejeitos.

— Ocê num lembra do Bill Tenner? Ele trabalhô aqui uns treis meis atrás.

Slim refletiu.

— Um sujeito pequeno? – perguntou. – Que dirigia a plantadera?

— Esse memo – Whit exclamou. – Esse sujeito aí.

— Ocê acha que foi ele que escreveu essa carta?

— Eu sei que foi. O Bill tava aqui um dia. O Bill tava com um livro que tinha acabado de sair. Tava olhando ele e disse: "Eu escrevi uma carta. Será que eles vai colocá no livro?". Mas não tava lá. Aí o Bill disse: "Talveiz eles guardaro pra mais tarde". E foi isso memo que eles fizero. Tá aqui.

– Acho qu'ocê tem razão – disse Slim. – Tá bem aí no livro.

George esticou a mão para pegar a revista.

– Posso dá uma olhada?

Whit colocou a revista de volta na mesa, mas não soltou. Apontou para a carta com o indicador. E daí foi até sua prateleira-caixote e ajeitou a revista lá com cuidado.

– Será que o Bill viu? – disse. – O Bill e eu, a gente trabalhô junto naquele pedaço do campo que tem ervilha. A gente guiava a plantadera. O Bill era um sujeito danado de bom.

Daquela conversa, Carlson tinha se recusado a participar. Ficou olhando para o cachorro. Candy o observava com desconforto. No final, Carlson disse:

– Se ocê quisé, posso tirá esse diabo velho do sofrimento dele agora memo e colocá um fim nisso tudo. Num sobrô nada pra ele. Ele num come, ele num enxerga, ele nem consegue andá sem senti dor.

Candy disse, esperançoso:

– Ocê num tem revólver.

– Com o diabo que num tenho. Tenho uma Luger. Não ia machucá ele de jeito nenhum.

Candy disse:

– Quem sabe amanhã? A gente espera até amanhã.

– Num sei por quê – Carlson disse. Foi até o catre, puxou a bolsa de baixo dele e tirou uma pistola Luger. – Vamo acabá logo com isso – disse. – Num dá pra dormi com ele soltando este fedor por aqui. – Colocou a pistola no bolso.

Candy olhou longamente para Slim para tentar achar algum modo de impedir aquilo. E Slim não lhe deu nenhum. Afinal Candy disse, bem baixinho e desconsolado:

– Tudo bem, leva ele – nem olhou para o cachorro. Ficou deitado no catre e cruzou os braços atrás da cabeça e ficou olhando para o teto.

Do bolso, Carlson tirou uma tirinha de couro. Agachou-se e a amarrou em volta do pescoço do cachorro velho. Todos os homens, menos Candy, ficaram observando.

– Vamo lá, garoto, vamo lá, garoto – disse, cheio de gentileza. E disse para Candy, em tom de desculpa:

– Ele nem vai senti nada – Candy não se mexeu nem respondeu. Deu um puxão na tirinha. – Vamo lá, garoto.

O cachorro levantou-se lentamente, todo rígido, e seguiu a direção da guia que o puxava.

Slim disse:

– Carlson.

– Hã?

– Ocê sabe o que tem que fazer.

– Do que é que ocê tá falando, Slim?

– Leva uma pá – Slim disse, seco.

– Ah, claro! Entendi. – E conduziu o cachorro pela escuridão.

George o seguiu até a porta, fechou-a e colocou a tranca com cuidado no lugar. Candy ficou deitado imóvel na cama, olhando para o teto.

Slim disse em voz bem alta:

– Uma das minha mula ficô co'o casco ruim. Vô tê que ir lá passá um poco de piche nele. – Sua voz foi ficando baixinha.

Lá fora tudo estava em silêncio. Os passos de Carlson foram desaparecendo. O silêncio caiu sobre a casa dos peões. E o silêncio tinha chegado para ficar.

George deu uma risadinha:

– Aposto que o Lennie tá lá no celero com o cachorrinho dele. Ele nunca mais vai querê entrá aqui, agora que tem um cachorrinho.

Slim disse:

– Candy, ocê pode ficá com um dos cachorrinho, se quisé.

Candy não respondeu. O silêncio caiu sobre o barracão de novo. Veio da noite fechada e entrou na casa dos peões. George disse:

– Alguém aí qué jogá uma partidinha?

– Eu jogo co'ocê – respondeu Whit.

Sentaram-se um na frente do outro na mesa sob o abajur, mas George não embaralhou as cartas. Ficou mexendo na parte superior do baralho, e o barulho das cartas correndo entre seus dedos chamou a atenção de todos os homens presentes, então ele parou. O silêncio caiu sobre a casa dos peões de novo. Um minuto se passou, e outro minuto se seguiu. Candy ficou lá deitado, imóvel, olhando para o teto. Slim olhou para ele por um instante e então olhou para as mãos; pegou uma mão na outra e a colocou para baixo. Ouviu-se um guincho fraco embaixo do assoalho e todos os homens olharam na direção dele, animados. Só Candy continuava a olhar para o teto.

– Parece que tinha um rato aqui embaixo – disse George. – Precisamo colocá uma ratoeira ali.

Whit explodiu:

– Por que diabo que ele tá demorando tanto? Distribui as cartas logo, pode ser? A gente não vai consegui jogá nada desse jeito.

George juntou as cartas, as apertou bem e olhou para o verso delas. O silêncio tomara a casa dos peões de novo.

Um tiro soou à distância. Os homens olharam rapidamente para o velho. Todas as cabeças se viraram na direção dele.

Por um instante, ele continuou a olhar para o teto. Então rolou na cama lentamente e ficou de frente para a parede, em silêncio.

George embaralhou as cartas ruidosamente e as distribuiu. Whit puxou a tábua de marcar pontos para perto de si e ajeitou as contas para começar. Whit disse:

– Acho qu'oceis dois vieram memo pra trabaiá.

– Como assim? – George perguntou.

Whit riu.

– Bom, oceis chegaro na sexta. Oceis têm dois dia de trabaio até domingo.

– Num sei como foi que ocê adivinhou – disse George.

Whit riu de novo.

– A gente percebe essas coisa quando trabaia nessas fazenda grande muito tempo. O sujeito que só qué dá uma olhada na fazenda chega no sábado à tarde. Janta no sábado e faiz as treis refeição do domingo, e pode ir embora na segunda de manhã depois do café sem nem tê que mexê a mão. Mais oceis chegaro pra trabaiá na sexta ao meio-dia. Vão tê que trabaiá um dia e meio, de qualqué jeito.

George olhou para ele bem decidido.

– A gente vai ficá aqui um tempo – disse. – Eu e o Lennie, a gente qué fazê umas economia.

A porta se abriu bem devagarzinho e o estribeiro enfiou a cabeça; uma cabeça de negro magra, marcada de dor, os olhos pacientes.

– Seu Slim.

Slim tirou os olhos do velho Candy.

– Hã? Ah! Oi, Crooks. Qual é o problema?

– O sinhô me mandô isquentá piche pro casco daquela mula. Eu já isquentei.

– Ah! Claro, Crooks. Já vou lá colocá.

– Se o sinhô quisé, seu Slim, eu posso fazê pro sinhô.

– Num precisa, pode dexá. Eu vô lá fazê eu memo – Levantou-se.

Crooks disse:

– Seu Slim.

– O que é?

– Aquele sujeito novo grande tá fazendo bagunça co'os seus cachorrinho no celero.

– Bom, ele num tá machucando ninguém. Eu dei um cachorrinho pra ele.

– Achei que era melhor falá pro sinhô – respondeu Crooks. – Ele tá tirando da caixa e segurando eles. Num vai fazê bem pra eles.

– Ele num vai machucá os bichinho – Slim disse. – Pode dexá que eu vô lá agora co'ocê.

George levantou os olhos:

– Se aquele imbecil loco tivé aprontando demais, é só botá ele pra fora, Slim.

Slim seguiu o estribeiro lá para fora.

George distribuiu as cartas, e Whit pegou as dele e as examinou.

– Já viu a minina nova? – perguntou.

– Que minina? – George indagou.

– Como assim, a muié nova do Curley.

– É, vi sim.

– Bom, e ela num é uma gracinha?

– Num vi ela tanto assim – disse George.

Whit colocou as cartas na mesa com muitos trejeitos.

– Bom, fica por aí e fica de olho aberto. Ocê vai vê bastante. Ela num esconde nada. Nunca vi ninguém que nem ela. Ela fica co'aquele olho dela em cima de todo mundo. Aposto que ela olha até pro estribero. Num sei que diabo que ela qué.

George perguntou, como quem não quer nada:

– Ela já armô alguma confusão desde que chegô aqui?

Era óbvio que Whit não estava nem um pouco interessado nas cartas. Colocou a mão na mesa e George a misturou ao baralho. George montou na mesa seu jogo de paciência – sete cartas, e seis em cima, e cinco em cima delas.

Whit disse:

– Sei bem do que qu'ocê tá falando. Não, ainda num aconteceu nada. O Curley tá co'a pulga atrás da orelha, mas por enquanto é só isso. Cada vez que tem alguém aqui, ela aparece. Ou tá atrás do Curley ou vem procurá alguma coisa que perdeu num sabe onde. Acho que ela num consegue ficá longe de home. E o Curley tá que num discansa, mais ainda num aconteceu nada.

George disse:

– Ela vai aprontá a maió confusão. Vai sê a maió confusão por causo dela. Ela é uma chave de cadeia enfiadinha na fechadura. Aquele Curley arranjô memo uma boa pra ele. Uma fazenda cheia de home num é lugá pruma moça, ainda mais uma que nem ela.

Whit disse:

– Se ocê tivé a fim, tem que ir co'a gente pra cidade amanhã.

– Por quê? O que é qu'oceis vão fazê?

– Ah, o de sempre. A gente vai na casa da Susy. Um lugá bom pra diabo. A velha Susy é cômica... vive contando piada. Igual ela feiz quando saiu na varanda na noite de sábado passado. A Susy abriu a porta e daí gritô pra dentro: "Pode botá o casaco, garotas, que o xerife chegou". E ela também nunca fala palavrão. Tem cinco garotas lá.

– E quanto é que custa? – George perguntou.

– Dois e meio. E dá pra tomá uma dose por vinte centavo. A Susy também tem umas poltrona boa de sentá. Se alguém num quisé as menina, pode ficá lá bem-acomodado bebendo duas ou treis dose, e a Susy nem liga. Ela num fica apressando ninguém, nem ixpulsa ninguém que num tá a fim de uma garota.

– Acho que eu vô lá dá uma olhada no lugá – disse George.

– Claro. Vem co'a gente. É divertido à beça... co'ela contando piada o tempo todo e tudo. Igual ela disse uma vez, ela disse: "Conheço gente que bota um tapete de trapo no chão e um abajur de seda em cima do gramofone e fala que montô uma casa". E ela tá falando da casa da Clara. E a Susy fala assim: "Eu sei o que que os meus rapaiz qué", fala. "Minhas menina são limpa", ela fala, "e num tem água nenhuma no meu uísque", ela fala. "Se algum d'oceis tivé a fim de vê um abajur de seda e corrê o risco de pegá queimação, bom, então oceis sabe onde ir." E daí ela fala: "Tem sujeito aqui andando co'as perna arqueada, isso porque eles gosta de olhá abajur de seda".

George perguntou:

– A Clara tem uma otra casa, é?

– É – respondeu Whit. – A gente nunca vai lá. A Clara cobra treis por garota e 35 centavo por dose, e ela num conta piada nenhuma. Mas a casa da Susy é limpa e as poltrona dela são boa. Ela também num permite paquera lá.

– Eu e o Lennie tamo guardando dinheiro – George disse. – Posso ir lá e me acomodá e tomá uma dose, mais num vô gastá dois e meio.

– Bom, a gente precisa se diverti de veiz em quando – disse Whit.

A porta se abriu e Lennie e Carlson entraram juntos. Lennie se arrastou até seu catre e se sentou, tentando não chamar atenção. Carlson enfiou a mão embaixo do seu catre e puxou sua bolsa. Não olhou para o velho Candy, que continuava de frente para a parede. Carlson pegou um bastãozinho de limpeza e uma lata de óleo na bolsa. Colocou tudo em cima da cama e depois pegou a pistola, tirou o tambor e retirou dali o cartucho carregado. Então começou a limpar o cano com o bastãozinho.

Quando a trava estalou, Candy se virou e olhou para o revólver por um instante; depois, voltou a encarar a parede.

Carlson disse como quem não quer nada:

– O Curley já passô por aqui?

– Num passô não – disse Whit. – Qualé o problema do Curley?

Carlson apertou os olhos para examinar o cano do revólver.

– Tá procurando a patroa. Vi ele andando de um lado pro otro lá fora.

Whit disse, cheio de sarcasmo:

– Ele passa metade do tempo procurando ela, e no resto do tempo é ela que tá procurando ele.

Curley irrompeu no barracão, todo ansioso:

– Algum d'oceis viu a minha muié? – quis saber.

– Ela num passô por aqui não – Whit disse.

Curley olhou ao redor do barracão com cara de ameaça.

– Onde diabo tá o Slim?

– Foi lá no celero – disse George. – Ele ia colocá piche num casco aberto.

Os ombros de Curley caíram e relaxaram.

– Faiz quanto tempo que ele saiu?

– Cinco... deiz minuto.

Curley saltou porta afora e a bateu atrás de si.

Whit se levantou.

– Acho que eu vô querê vê essa cena – disse. – O Curley tá procurando briga, se num tivesse, num ia atrás do Slim. E o Curley é habilidoso, habilidoso como o diabo. Chegou nas final da Luva de Ouro. Ele até recortô as notícia do jornal sobre isso. – Refletiu por um instante. – Memo assim, devia deixar o Slim em paiz. Ninguém sabe o que o Slim é capaiz de fazê.

– Ele acha que o Slim tá co'a muié dele, né? – disse George.

– Parece que acha sim – Whit respondeu. – Claro que o Slim num tá. Pelo menos eu acho que o Slim num tá. Mas eu bem que ia gostá de vê a confusão, se acontecê. Vem comigo, vamo lá.

George disse:

– Eu vô ficá bem aqui. Num quero me metê em nada. E o Lennie e eu, a gente precisa juntá dinhero.

Carlson terminou de limpar o revólver, colocou-o na bolsa e empurrou para debaixo do catre:

– Acho que eu vô lá dá uma olhada – disse.

O velho Candy ficou deitado, imóvel, e Lennie, do catre dele, observava George com cautela.

Quando Whit e Carlson saíram e a porta se fechou atrás deles, George voltou-se para Lennie:

– No que é qu'ocê tá pensando?

– Eu num fiz nada, George. O Slim disse que é bom eu num ficá agradando tanto os cachorrinho por um tempo. O Slim disse que num é bom pra eles; então eu voltei direto pra cá. Eu fui bonzinho, George.

– Eu memo podia tê te falado isso – George disse.

– Bom, eu num tava machucando ele. Ele só tava no meu colo e eu tava agradando ele.

George perguntou:

– Ocê viu o Slim lá no celero?

– Vi sim. Ele me disse que era melhor pará de agradá o cachorrinho.

– Ocê viu a moça?

– Ocê tá falando da moça do Curley?

— É. Ela entrô no celero?
— Não. Mais eu num vi ela memo.
— Ocê nunca viu o Slim conversando com ela?
— Hã-hã. Ela num foi no celero.
— Tudo bem – disse George. – Acho que o pessoal num vai vê briga nenhuma. Se tivé alguma briga, Lennie, ocê fica fora.
— Eu num quero sabê de briga – Lennie disse.

Ele se levantou de seu catre e se sentou à mesa, na frente de George. Quase automaticamente, George embaralhou as cartas e colocou na mesa seu jogo de paciência. Usou de um vagar pensativo e deliberado.

Lennie pegou uma das cartas que estava no topo de uma pilha e a examinou, depois virou-a de ponta-cabeça e voltou a examinar.

— Os dois lado são igual – disse. – George, por que os dois lado são igual?
— Num sei – George respondeu. – É assim que fazem elas. O que é que o Slim tava fazendo no celero quando ocê viu ele?
— O Slim?
— É. Ocê viu ele no celero, e ele disse pr'ocê num agradá tanto os cachorrinho.
— Ah, é memo. Ele tava com uma lata de piche e um pincel. Num sei pra quê.
— Tem certeza que aquela moça num entrô lá, igual ela entrô aqui hoje?
— Num entrô, não. Ela num foi lá.

George suspirou.

— Eu prefiro memo um bom putero – disse. – A gente vai lá, bebe e coloca tudo pra fora de uma veiz só, sem causá problema nenhum. E a gente sempre sabe quanto vai tê que pagá. Esse tipo de chave de cadeia só serve pra apertá o gatilho da confusão.

Lennie acompanhou as palavras de George com admiração, mexendo os lábios um pouco para manter o ritmo. George prosseguiu:

– Ocê lembra do Andy Cushman, Lennie? Aquele que estudô na escola co'a gente?

– Aquele que a mãe fazia bolo quente pras criança? – Lennie perguntou.

– É. Esse aí memo. Ocê sempre lembra de tudo que tem comida no meio. – George examinou com cuidado sua partida de paciência. Colocou um ás na pilha dos pontos e juntou um dois, um três e um quatro de ouros por cima. – O Andy tá na prisão San Quentin agorinha memo por causa de uma vagabunda – disse George.

Lennie batucou os dedos na mesa.

– George?

– Hã?

– George, quanto tempo vai demorá pra gente consegui aquela casinha e vivê da terra... e os coelho?

– Num sei – respondeu George. – A gente precisa juntá bastante dinheiro. Eu conheço um lugá que a gente pode comprá baratinho, mais ninguém vai dá a terra de presente pra gente.

O velho Candy virou-se vagarosamente. Os olhos dele estavam arregalados. Observou George com atenção.

Lennie disse:

– Fala desse lugá aí, George.

– Mais eu já falei dele ontem de noite.

– Ah... conta de novo, George.

– Bom, tem quatro hectare – George disse. – Tem um moinho de vento pequeno. Tem uma cabaninha construída, e um galinhero. Tem cozinha, pomar, cereja, maçã, pêssego, damasco, noz, até umas amora. Tem lugá pra plantá alfafa e muita água pra irrigá. Tem um chiquero...

– E os coelho, George?

– Por enquanto num tem lugá pra coelho, mas eu posso construí uns caramanchão sem problema e ocê vai podê dá alfafa pros coelho.

– Pode tê certeza que eu vô podê memo – disse Lennie. – Mais que diabo, vô memo.

As mãos de George pararam de mexer nas cartas. A voz dele ia ficando cada vez mais calorosa.

– E a gente pode tê uns porco. Eu posso construí uma torre de defumação igual à que o meu avô tinha, e daí quando a gente matá um porco, a gente vai podê defumá o toicinho e o presunto, e fazê linguiça e mais um monte de coisa assim. E quando os salmão subi o rio, a gente pode pegá uns cem e guardá no sal ou defumá. A gente vai podê comê no café da manhã. Num tem nada meió do que salmão defumado. Quando as fruta amadurecê, a gente pode fazê conserva... também de tomate, que é fácil de guardá. Todo domingo a gente mata um frango ou um coelho. Quem sabe a gente pode tê uma vaca ou uma cabra, e o creme do leite vai sê tão grosso que vai dá pra cortá com faca e tirá com colher.

Lennie o observava com os olhos arregalados, e o velho Candy também o observava. Lennie disse, baixinho:

– A gente ia podê vivê da terra.

– Claro – disse George. – Vai tê tudo que é tipo de verdura no jardim, e se a gente quisé comprá um poco de uísque, pode vendê uns ovo ou qualquer coisa dessa, ou um poco de leite. A gente vai vivê bem lá. A gente vai fazê parte daquele lugá. Num vai mais precisá ficá rodando pela região e comê comida de cozinheiro japa. Nada disso, a gente vai tê nosso lugá, e a gente vai fazê parte dele, e num vai tê que durmi em casa de pião nenhuma.

– Fala da casa, George – Lennie implorou.

– Claro, a gente vai tê uma casinha e um quarto pra gente. Um fogãozinho de ferro bem gorducho, e no inverno a gente vai acendê o fogo nele. Como a terra num é muita, a gente num ia tê que trabaiá dimais. Quem sabe umas seis, sete hora por dia. A gente num ia tê que ficá carregando cevada onze hora por dia. E quando a gente fazê a colheita, ah, ela vai ficá todinha pra gente. A gente ia sabê exatamente o tamanho da produção.

– E os coelho – Lennie disse, todo animado. – E eu ia cuidá dos coelho. Fala como é que vô fazê, George.

– Claro, ocê vai até a plantação de alfafa e vai pegá um saco. Vai pegá o saco e vai enchê e vai colocá dentro da gaiola dos coelho.

– E eles vai mastigá e mastigá – disse Lennie. – Do jeito que eles sempre faiz, que eu já vi.

– A cada seis semana, mais ou menos – George prosseguiu –, eles ia dá cria e a gente ia tê um montão de coelho pra comê e pra vendê. E a gente ia tê uns pombo pra voá em volta do moinho de vento, igual eles fazia quando eu era criança. – Olhou sonhador para a parede acima da cabeça de Lennie. – E vai tudo sê da gente, e ninguém vai passá. Se a gente num gostá de um sujeito, vai podê falá assim: "Sai daqui", e ele vai tê que obedecê, vai sim. E se um amigo aparecê, ah, a gente vai tê uma cama a mais, e a gente vai falá assim: "Por que qu'ocê num dorme aqui hoje?", e, ah meu Deus, ele ia ficá lá. A gente vai tê um cachorro setter e uns gato malhado, mas ocê ia tê que ficá de olho neles, pros gato num pegá os coelho.

Lennie tomou fôlego.

– Ah, tenta dexá eles pegá os coelho. Eu quebro o pescoço deles. Eu... eu acabo co'eles co'um pau. – Ele se entregou, resmungando para si mesmo, ameaçando os futuros gatos que teriam a ousadia de incomodar os futuros coelhos.

George ficou lá, em transe com o cenário que ele próprio tinha traçado.

Quando Candy falou, os dois se sobressaltaram como se tivessem sido pegos fazendo alguma coisa repreensível. Candy disse:

– Oceis sabem onde é que tem um lugá desse?

George levantou a guarda imediatamente.

– E se eu soubé? – disse. – Num é da sua conta.

– Ocê num precisa me dizê onde é. Pode sê em qualqué lugá.

– Claro – disse George. – É isso memo. Ocê num ia achá nem em cem ano.

Candy prosseguiu, todo animado:

– Quanto é que custa um lugá desse?

George o examinou, cheio de suspeita.

– Bom... acho que eu consigo por uns seiscentos pau. Os velho que são os dono tão na pior, e a velha precisa de sê operada. Mais me diz uma coisa... o que é qu'ocê tem com isso? Num é da sua conta.

Candy disse:

– Eu num sirvo pra muita coisa co'uma mão só. Perdi minha mão bem aqui nessa fazenda. É por isso que eles me dero o serviço de ajudante. E me dero 250 dólar porque eu perdi a mão. E eu tenho mais cinquenta guardadinho no banco, agora memo. Tenho trezentos, e tem mais cinquenta que vêm no fim do meis. Vô dizê uma coisa... – Inclinou-se para a frente, ansioso. – E se eu fosse co'oceis? Eu ia contribuí com trezentos e cinquenta dólar. Não é lá muita coisa, mas eu podia cozinhá e cuidá das galinha e ajudá um poco co'o jardim. O que qu'oceis acha?

George semicerrou os olhos.

– Preciso pensá no assunto. A gente sempre falô que ia fazê isso só nós dois.

Candy o interrompeu:

– Eu faço um testamento e deixo tudo pr'oceis, pro caso de eu batê as bota, porque eu num tenho nenhum parente nem nada. Oceis têm dinhero? Quem sabe a gente num podia ir lá agora memo?

George cuspiu no chão, desgostoso.

– Nóis dois junto, a gente tem deiz dólar.

Depois disse, pensativo:

– Olha, eu e o Lennie, se a gente trabaiá um meis sem gastá nada, a gente vai tê cem dólar. Aí dá 450. Aposto que dá pra segurá ela co'essa quantia. Daí ocê e o Lennie pode ir pra lá pra começá tudo e eu vô arrumá otro emprego pra ganhá o resto, e oceis podia vendê ovo e tal.

Ficaram os três em silêncio. Olharam um para o outro, surpresos. Aquela coisa em que nunca tinham acreditado de verdade ia se tornar realidade. George disse, cheio de reverência:

— Jesus Cristo! Aposto memo que dava pra segurá ela. — Seus olhos estavam cheios de maravilhamento. — Aposto memo que dava pra segurá ela. — repetiu baixinho.

Candy ficou sentado na beirada do catre. Coçou o coto do pulso com nervosismo.

— Eu me machuquei faiz quatro ano — ele disse. — Logo, logo eles vai me mandá imbora. Assim que eu num pudé mais varrê as casa de pião, eles vai me mandá pra rua. Se eu dé o meu dinhero pr'oceis, quem sabe oceis me deixa cuidá do jardim, memo depois que eu num consegui mais fazê isso. E eu posso lavá loça e também os franguinho, umas coisa assim. Mais o lugá vai sê nosso, e oceis vai me dexá trabaiá num lugá que também é meu. — Ele disse, cheio de tristeza: — Oceis viro só o que fizero com o meu cachorro hoje à noite? Falaro qu'ele num tava mais fazendo bem pra ele memo nem pra ninguém mais. Quando eles me mandá embora daqui, bem que eu ia gostá que alguém me matasse. Mais ninguém vai fazê uma coisa dessa. Eu num vô tê lugá ninhum pra ir, e num vô podê mais arrumá imprego nenhum. Quando oceis tivé pronto pra largá, eu vô tê mais trinta dólar.

George se levantou.

— A gente vai arrumá ela — disse. — A gente vai dá um jeito naquela casinha e a gente vai morá lá. — Sentou-se novamente.

Todos ficaram imóveis, todos assombrados com a beleza daquilo tudo, a mente de cada um deles pensava naquele futuro em que todas aquelas coisas maravilhosas iriam acontecer.

George disse, sonhador:

– Imagina só se um parque de diversão ou uma feira ou um jogo ou qualqué coisa assim fosse pra cidade.

O velho Candy assentiu com a cabeça, apreciando a ideia.

– A gente só ia ir lá – George disse. – Num ia precisá pedi pra ninguém se podia. A gente só ia falá assim: "A gente vai lá", e pronto. Era só tirá um pouco de leite da vaca, colocá uns grão em um saco, dá comida pras galinha e ir.

– E dá um pouco de capim pros coelho – Lennie interrompeu. – Eu nunca ia isquecê de dá comida pra eles. Quando é que a gente vai fazê isso, George?

– Daqui a um meis. Exatamente daqui a um meis. Sabe o que é que eu vô fazê? Vô escrevê uma carta pros velho que são dono da terra pra dizê que a gente vai ficá co'ela. E o Candy vai mandá cem dólar pra segurá.

– Claro que mando – Candy disse. – Tem um bom fogão por lá?

– Claro, tem sim. Funciona com lenha ou com carvão.

– Eu vô levá meu cachorrinho – disse Lennie. – Aposto por Cristo que ele vai gostá de lá, por Jesus.

Vozes vinham se aproximando do lado de fora. George disse com rapidez:

– Num conta nada disso pra ninguém. Eles podem mandá a gente embora, e daí a gente num vai consegui guardá dinhero nenhum. A gente precisa continuá agindo como se fosse ficá carregando cevada pro resto da vida, e de repente um dia a gente vai lá buscá o pagamento e dá no pé.

Lennie e Candy assentiram com a cabeça, sorrindo de tanta alegria.

– Não conta pra ninguém – Lennie disse a si mesmo.

Candy disse:

– George.

– Hã?

– Eu devia de tê matado meu cachorro eu memo. Num devia tê dexado estranho nenhum fazê isso.

A porta se abriu. Slim entrou, seguido por Curley e Carlson e Whit. As mãos de Slim estavam pretas de piche e ele estava com o rosto franzido. Curley estava bem pertinho do cotovelo dele.

Curley disse:

– Bom, eu num quis insinuá nada, Slim. Só perguntei.

Slim disse:

– Bom, ocê anda perguntando demais pra mim. Tô ficando cheio de tudo isso. Se ocê num consegue cuidá da própria muié, por que é qu'ocê acha que eu vô fazê isso pr'ocê? Larga do meu pé.

– Só tô tentando dizê que eu num quis insinuá nada – Curley disse. – Só achei que talveiz ocê tinha visto ela.

– Por que é qu'ocê num manda ela ficá em casa, diabo, onde é o lugá dela? – disse Carlson. – Ocê deixa ela ficá andando pelas casa de pião e logo ocê vai tê problema e num vai podê fazê nada.

Curley se virou para Carlson.

– Ocê fica fora disso, a menos qu'ocê tá com vontade de ir lá fora um poquinho.

Carlson riu.

– Seu loco maldito – disse. – Ocê tentou assustá o Slim, e num conseguiu fazê seu papo colá. O Slim é que assustô ocê. Ocê é o maió covardão. Num ligo se ocê é o meió peso-leve da região. Se ocê vié pra cima de mim, eu acabo co'a porcaria da sua raça.

Candy juntou-se ao ataque, cheio de alegria:

– Luva cheia de vaselina – disse, com nojo.

Curley olhou para ele. Seus olhos escorregaram por ele e foram até Lennie; e Lennie continuava sorrindo de alegria com a lembrança da fazenda.

Curley chegou perto de Lennie, como um cãozinho terrier.

– Por que diabo qu'ocê tá rindo?

Lennie olhou para ele sem entender nada.

– Hã?

Então a raiva de Curley explodiu.

– Vai lá, seu imbecil grandão. Fica de pé. Nenhum filho da puta grandão vai ficá aí rindo de mim. Vô mostrá pr'ocê quem é covarde.

Lennie olhou desamparado para George, levantou-se e tentou recuar. Curley estava prontinho para brigar, equilibrado na ponta dos pés. Deu um soco em Lennie com a esquerda, depois amassou o nariz dele com a direita. Lennie soltou um grito de pavor. O sangue começou a jorrar do nariz dele.

– George – ele gritou. – Manda ele me dexá em paiz, George. – Recuou até bater na parede, e Curley o acompanhou, batendo no rosto dele.

As mãos de Lennie continuaram soltas ao lado do corpo; estava assustado demais para se defender.

George estava de pé, gritando:

– Pega ele, Lennie. Num deixa ele fazê isso.

Lennie cobriu o rosto com suas mãos imensas e urrou de pavor. Gritava:

– Manda ele pará, George.

Então Curley acertou o estômago dele e o deixou sem fôlego.

Slim deu um salto.

– Que ratazana suja – gritou. – Pode dexá que eu memo cuido dele.

George esticou a mão e agarrou Slim:

– Espera aí um poquinho – berrou. Curvou as mãos em volta da boca e gritou: – Pega ele, Lennie!

Lennie tirou as mãos da frente do rosto e olhou em volta à procura de George, e Curley acertou os olhos dele. O rosto grande estava coberto de sangue. George gritou de novo:

– Eu mandei pegá ele.

O punho de Curley estava em pleno movimento quando Lennie o agarrou. No minuto seguinte, Curley estava pendurado no ar igual a um peixe no anzol, e o punho fechado dele se perdera dentro da enorme mão de Lennie. George foi até o outro lado do barracão correndo.

– Solta ele, Lennie. Solta ele.

Mas Lennie olhava para o homenzinho que balançava no ar cheio de pavor. Sangue escorria pelo rosto de Lennie, um dos olhos estava cortado e fechado. George bateu no rosto dele repetidas vezes, e Lennie continuava segurando o punho fechado.

Curley estava branco e encolhido, e o espernear dele tinha enfraquecido. Ficou lá gritando, com o punho perdido dentro da pata de Lennie.

George gritava sem parar:

– Larga a mão dele, Lennie. Larga. Slim, vem aqui me ajudá enquanto esse sujeito ainda tem mão.

De repente, Lennie largou. Agachou-se, buscando abrigo contra a parede.

– Foi ocê que mandô, George – disse, cheio de tristeza.

Curley se sentou no chão, olhando estupefato para a mão esmagada. Slim e Carlson se debruçaram por cima dele. Então Slim se ergueu e olhou Lennie cheio de pavor.

– Precisamo levá ele num médico – disse. – Acho que tudo que é osso na mão dele tá moído.

– Eu num queria – Lennie gritou. – Eu num queria machucá ele.

Slim disse:

– Carlson, arruma a charrete. A gente vai levá ele pra Soledad pra ele ficá direito.

Carlson saiu apressado. Slim se virou para Lennie, que choramingava:

– Num é sua culpa – disse. – Esse maluco com certeza pediu. Mas... Jesus! Ele quase ficou sem mão.

Slim se apressou para fora, e logo voltou com uma xícara de lata cheia de água. Colocou na boca de Curley.

George disse:

– Slim, a gente vai sê mandado embora agora? A gente precisa do dinheiro. O pai do Curley vai mandá a gente embora?

Slim deu um sorriso torto. Ajoelhou-se ao lado de Curley.

– Ocê tá bem consciente pra ouvi o que eu vô dizê? – perguntou.

Curley assentiu com a cabeça.

– Acho qu'ocê prendeu a mão numa máquina. Se ocê num contá pra ninguém o que aconteceu, a gente também num conta. Mas se ocê contá e tentá fazê o seu pai mandá imbora esse sujeito aqui, a gente vai contá pra todo mundo, e daí todo mundo vai ri d'ocê.

– Eu num vô contá – Curley disse. Ele evitava olhar para Lennie.

Ouviram-se rodas de charrete lá fora. Slim ajudou Curley a se levantar.

– Agora vem aqui. O Carlson vai levá ocê no médico. – Ajudou Curley a sair pela porta.

O som das rodas foi se afastando. Em um instante, Slim voltou para o barracão. Olhou para Lennie, que continuava agachado, morrendo de medo, contra a parede.

– Deixa eu vê a sua mão – pediu.

Lennie estendeu as mãos.

– Meu Deus do céu, eu ia detestá se ocê tivesse bravo comigo – Slim disse.

George se intrometeu:

– O Lennie só tava com medo – explicou. – Ele não sabia o que fazê. Eu falei pr'ocê que ninguém nunca devia se metê a brigá com ele. Hmm, num sei, acho que foi pro Candy que eu disse isso.

Candy assentiu solenemente.

– Foi isso memo qu'ocê fez – disse. – Bem hoje de manhã, na primera veiz que o Curley implicô co'o seu amigo, foi quando ocê disse: "É meió ele num se metê co'o Lennie se ele num quisé se dá mal". Foi bem assim qu'ocê me disse.

George voltou-se para Lennie.

– Num é sua culpa – disse. – Ocê num precisa mais ficá com medo. Ocê feiz bem o que mandei ocê fazê. Acho que é meió ocê ir lá na casa de banho e lavá o rosto. Ocê tá péssimo.

Lennie sorriu com a boca machucada.

– Eu num queria nada de confusão – disse. Caminhou na direção da porta, mas logo antes de alcançá-la, voltou-se: – George?

– O que é qu'ocê qué?

– Eu ainda vô podê cuidá dos coelho, George?

– Claro que vai. Ocê num feiz nada de errado, Lennie.

– Eu num queria fazê mal, George.

– Bom, sai logo daqui, diabo, e vai lavá essa cara.

O CATRE DE CROOKS, o estribeiro negro, ficava no quarto de arreios, um puxadinho que saía da parede do celeiro. De um lado do quartinho havia uma janela de quatro vidraças e, do outro, uma porta de madeira inteiriça estreita que levava ao estábulo. O catre de Crooks era uma caixa comprida cheia de palha; ele jogava os cobertores por cima. Na parede perto da janela havia ganchos em que estavam pendurados os arreios quebrados que estavam sendo consertados, além de tiras de couro novo. E, sob a própria janela, uma pequena bancada com as ferramentas de trabalhar o couro, facas recurvadas e agulhas e bolas de fio de linho e um rebitador manual. Nos ganchos também havia pedaços de arreio, uma coalheira partida, com o enchimento de pelo de cavalo caindo para fora, um freio quebrado e uma rédea de corrente com a cobertura de couro partida. Crooks tinha seu caixote de frutas pregado sobre o catre, e nele toda uma variedade de frascos de remédio, tanto para ele quanto para os cavalos. Havia latas de sabão para sela e uma lata de piche toda respingada com o pincel enfiado do lado. Espalhados pelo chão estavam diversos objetos de uso pessoal porque, como morava lá sozinho, Crooks podia deixar suas coisas todas espalhadas, e como era um estribeiro aleijado, era mais permanente do que os outros trabalhadores, e tinha acumulado mais posses do que seria capaz de carregar nas costas.

Crooks possuía vários pares de sapato, uma bota de borracha, um despertador grande e uma espingarda de um cano só. E também tinha livros, um dicionário puído e uma cópia disforme do Código Civil da Califórnia, de 1905. Havia revistas que tinham sido folheadas muitas vezes e alguns livros sujos em uma prateleira especial sobre o catre. Um par de óculos com aros dourados estava pendurado em um prego na parede em cima da cama.

O quarto era bem varrido e razoavelmente arrumado, porque Crooks era um homem orgulhoso e reservado. Ficava longe dos outros e exigia o mesmo deles. Seu corpo era inclinado para a esquerda por causa das costas aleijadas, e os olhos eram bem fundos no rosto e, por causa da profundidade, pareciam brilhar intensamente. O rosto magro era coberto de rugas escuras profundas e tinha lábios finos e apertados pela dor, mais leves do que o resto de seu rosto.

Era sábado à noite. Pela porta aberta que levava ao celeiro veio o som de cavalos que se moviam, de patas que se arrastavam, de dentes que mastigavam feno, de cabrestos que chacoalhavam. No quarto do estribeiro, uma pequena lâmpada elétrica produzia uma parca luz amarelada.

Crooks estava sentado sobre seu catre. A camisa estava para fora do jeans na parte de trás. Com uma mão, segurava um frasco de unguento, e, com a outra, friccionava as costas. De vez em quando, colocava algumas gotas do unguento na palma da mão rosada e enfiava a mão por baixo da camisa para friccionar mais um pouco. Flexionava os músculos das costas e tremia.

Sem fazer barulho, Lennie apareceu na porta aberta e ficou lá parado, olhando para dentro, com os ombros grandes quase preenchendo toda a abertura. Por um instante, Crooks não o viu, mas quando ergueu os olhos, seu corpo ficou rígido e seu cenho se franziu. Tirou a mão de baixo da camisa.

Lennie sorriu de maneira indefesa, tentando fazer amizade.

Crooks disse, ríspido:

– Ocê num tem direito de entrá no meu quarto desse jeito. Esse aqui é o meu quarto. Ninguém tem direito de ficá aqui além de mim.

Lennie engoliu em seco e seu sorriso assumiu um ar bajulador.

– Eu num tô fazendo nada – disse. – Só vim vê meu cachorrinho. E vi a sua luz acesa – explicou.

– Bom, eu tenho direito de acendê a luz. Anda logo, sai do meu quarto. Ninguém me qué na casa de pião, e eu num quero ocê no meu quarto.

– Por que é que ninguém qué ocê? – Lennie perguntou.

– Por causo que eu sô preto. O pessoal joga carta lá, mais eu num posso jogá porque sô preto. O pessoal fala que eu sô fidido. Bom, vô te dizê uma coisa, pra mim, oceis tudo é que fede.

Lennie abanou as mãos, desconsolado.

– Todo mundo foi pra cidade – disse. – O Slim e o George e todo mundo. O George mandou eu ficá aqui e num causá nenhum problema. E eu vi a sua luz acesa.

— Bom, o que é qu'ocê qué?

— Nada... só vi a sua luz acesa. Achei que podia entrá e sentá um pouco pra conversá.

Crooks ficou olhando para Lennie, esticou a mão atrás de si, pegou os óculos, ajustou-os sobre as orelhas rosadas e olhou de novo.

— Aliás, nem sei o que é qu'ocê tá fazendo aqui no celero — reclamou. — Ocê num é carrocero. Ocê é carregadô, e carregadô num tem nada que fazê no celero. Ocê num é carrocero. Ocê num tem nada que vê co'os cavalo.

— O cachorrinho — Lennie repetiu. — Eu vim vê meu cachorrinho.

— Bom, então vai lá vê seu cachorrinho. Num fica entrando assim em um lugá onde ninguém te chamô.

Lennie perdeu o sorriso. Deu um passo para dentro do quarto, então lembrou e recuou de novo.

— Olhei eles um poquinho. O Slim disse que num é pra eu ficá agradando eles muito.

Crooks disse:

— Bom, ocê fica tirando eles da caxa toda hora. Acho até que a cadela vai levá eles pra algum otro lugá.

— Ah, ela num tá nem aí. Ela deixa eu pegá — Lennie tinha entrado no quarto de novo.

Crooks franziu o cenho, mas o sorriso desarmado de Lennie o derrotou.

— Entra aqui e senta um poco — Crooks disse. — Já qu'ocê num qué memo ir imbora e me dexá em paiz, intão ocê pode sentá aqui comigo um poco. — O tom dele estava um tantinho mais simpático. — Todo o pessoal foi pra cidade, é?

– Todo mundo menos o Candy. Ele ficô lá na casa dos pião apontando o lápis dele, apontando e pensando.

Crooks ajustou os óculos.

– Pensando? No que é que o Candy tá pensando?

Lennie quase gritou:

– Nos coelho.

– Ocê é loco – disse Crooks. – Ocê é loco que nem um maluco. De que coelho qu'ocê tá falando?

– Os coelho que a gente vai tê, e eu é que vô cuidá deles, vô cortá capim e dá água pra eles, essas coisa.

– Que locura – disse Crooks. – Num dá pra culpá aquele cara que anda co'ocê por tê deixado ocê escondido aqui.

Lennie disse bem baixinho:

– Num é nada de mentira. A gente vai fazê isso, vai sim. Vamo arrumá um lugarzinho e vivê da terra.

Crooks se ajeitou com mais conforto sobre o catre.

– Senta aqui – convidou. – Senta aqui no barril.

Lennie se acocorou sobre o barrilzinho.

– Ocê acha que é mentira – disse Lennie. – Mas num é nada de mentira. É tudo verdade, é sim, pode perguntá pro George.

Crooks apoiou o queixo escuro na palma da mão rosada.

– Ocê anda por aí co'o George, né?

– Ando sim. Eu e ele, a gente vai pra tudo que é lugá junto.

Crooks prosseguiu:

– Às veiz ele fala, e ocê num faiz a menor ideia do que que ele tá falando, né? – Inclinou o corpo para a

frente, envolvendo Lennie com seus olhos profundos.
– Num é isso que acontece?

– É... de veiz em quando, é sim.

– Ele só fica lá falando, e ocê não faiz a menor ideia do que que ele tá falando?

– É... de veiz em quando. Mais num é sempre.

Crooks se inclinou para a frente, por sobre a beirada do catre:

– Eu num sô preto do Sul – disse. – Eu nasci bem aqui na Califórnia. Meu pai tinha uma granja, de uns quatro alquere. Os menino branco vinha brincá na nossa casa, e de veiz em quando eu brincava co'eles, e tinha uns menino branco bem bom. Meu pai num gostava. Demorô um tempão até eu descobri por que que ele num gostava. Mais agora eu sei. – Hesitou e, quando voltou a falar, sua voz estava mais suave: – Num tinha mais nenhuma otra família preta naquela região, nem em muitos quilômetro de distância. E agora aqui num tem nenhum preto nessa fazenda e só tem uma família de preto em Soledad. – Ele riu. – Se eu falo alguma coisa, ah, é só conversa de preto.

Lennie perguntou:

– Quanto tempo qu'ocê acha que vai demorá até os cachorrinho ficá grande pra eu podê agradá?

Crooks riu de novo.

– Dá memo pra falá as coisa pr'ocê, é certeza qu'ocê num vai saí por aí fazendo fofoca. Daqui a umas duas semana os cachorrinho vão tá bom. O George sabe bem o que ele faiz. Ele fala e fala e ocê num intende nada. – Inclinou-se para frente, ansioso. – É só conversa de preto, e ainda mais um preto co'as costa aleijada. Intão num qué dizê nada, sabe? Ocê num vai lembrá memo. Já vi mais de uma veiz, um sujeito fala com otro e num faiz diferença se ele ouve nem se ele entende. O negócio é eles ficá lá falando ou ficá lá sentado sem falá. Num faiz diferença nenhuma, diferença nenhuma. – A animação dele cresceu tanto que começou a bater no joelho com a mão. – O George pode falá um monte de baixaria pr'ocê e num vai fazê diferença. É só conversa. É só pra ficá junto com otro sujeito. Só isso. – Fez uma pausa. Sua voz assumiu tom suave e persuasivo:

– Imagina se o George num voltá mais. Imagina se ele levá um tiro e num voltá nunca mais. O que qu'ocê vai fazê?

A atenção de Lennie vagarosamente se voltou ao que estava sendo dito:

– O quê? – quis saber.

– Eu disse pr'ocê imaginá se o George fô embora hoje à noite e num voltá nunca mais. – Crooks sentiu no ar a aproximação de uma pequena vitória particular. – Pensa só nisso – repetiu.

– Ele num vai fazê uma coisa dessa comigo – Lennie exclamou. – O George nunca ia fazê nada disso. Eu tô co'o George faiz muito tempo. Ele vai voltá hoje à noite... – Mas a dúvida era demais para ele. – Ocê acha que ele num vai voltá?

O rosto de Crooks se acendeu de prazer com a tortura que realizava.

– Como é que a gente vai sabê o que que um sujeito faiz ou num faiz? – observou, calmamente. – Pensa assim, que ele tá com vontade de voltá, mais num tem condição de voltá. Imagina se ele se machuca ou se alguém mata ele, e daí ele num tem condição de voltá.

Lennie se esforçou muito para entender.

– O George num ia fazê uma coisa dessa – repetiu. – O George sempre toma cuidado. Ele num vai se machucá. Ele nunca se machucô, porque ele sempre toma cuidado.

– Bom, imagina, só imagina, se ele não voltá. O que é qu'ocê vai fazê?

O rosto de Lennie se encheu de rugas de tanta apreensão.

– Num sei. Mais fala uma coisa, o que é qu'ocê tá fazendo? – exclamou. – Isso aí num é verdade. O George num tá nada machucado.

Crooks continuou judiando dele:

– Que que vai acontecê? Vão pegá ocê e levá pro hospício, e vão amarrá uma colera no seu pescoço, que nem um cachorro.

De repente, os olhos de Lennie se fixaram e ficaram quietos e enlouquecidos. Levantou-se e andou na direção de Crooks, impondo perigo. – Quem foi que machucô o George? – quis saber.

Crooks viu o perigo que se aproximava dele. Recuou no catre para sair do caminho de Lennie.

– Eu só tava fazendo uma suposição – disse. – O George num tá machucado, não. Ele tá bem. Ele vai voltá direitinho.

Lennie ficou parado, bem em cima dele.

– Pra que é qu'ocê tá fazendo essas suposição? Ninguém vai supô nenhum machucado no George.

Crooks tirou os óculos e enxugou os olhos com os dedos.

– Calma aí – disse. – O George num tá machucado, não.

Lennie voltou resmungando para seu assento sobre o barril de pregos.

– Ninguém vai ficá falando de machucá o George – balbuciou.

Crooks disse, com simpatia:

– Acho que assim ocê entende. Ocê conta com o George. Ocê *sabe* que ele vai voltá. Imagina se ocê num tivesse ninguém. Imagina se ocê num pudesse entrá na casa dos pião pra jogá baralho porque ocê era preto. Ocê ia gostá? Imagina se ocê tivesse que ficá aqui sozinho, só lendo. Claro qu'ocê ia podê jogá ferradura até anoitecê, mas daí ocê ia tê que ficá lendo livro. E num tem nada de bom nos livro. A gente precisa de alguém... pra ouvi a gente. – Choramingou: – Qualqué pessoa fica loca se num tivé ninguém. Num faiz diferença quem tá co'a gente, só precisa tá junto. Vô dizê uma coisa – vociferou. – Vô dizê pr'ocê que a gente se sente tão sozinho que até fica doente.

– O George vai voltá – Lennie assegurou a si mesmo com uma voz assustada. – Vai vê que o George já voltô. Acho meió eu ir lá vê.

Crooks disse:

– Eu num quis assustá ocê. Ele vai voltá sim. Eu tava falando de mim memo. Quando um sujeito fica aqui a noite intera, pode ficá lendo um livro ou pensando umas coisa dessa. Às veiz a gente começa a pensá uma coisa e num tem ninguém pra falá se pode sê verdade ou mentira. Às veiz a gente vê umas coisa e num sabe se é certo ou se num é. Num dá pra virá pra otro sujeito e perguntá se ele viu também. Num dá pra sabê. Num tem nada pra compará. Eu já vi muita coisa acontecê por aí. Eu num tava bêbado. Num sei se num tava sonado. Se tivesse alguém comigo, o sujeito ia podê dizê pra mim que eu tava sonado, e daí tudo ia ficá direito. Mas eu num sei – Crooks estava olhando para o outro lado do quarto, na direção da janela.

Lennie disse, todo triste:

– O George num vai embora me abandoná. O George num vai fazê isso.

O estribeiro prosseguiu, com ar sonhador:

– Eu lembro de quando eu era piqueno, na granja do meu pai. Tinha dois irmão. Eles sempre tava perto de mim, sempre lá. A gente dormia no memo quarto, na mema cama... nóis treis. Tinha uma plantação de morango. Tinha uma plantação de alfafa. A gente levava as galinha pra comê alfafa quando fazia sol de manhã. Meus irmão sentava numa cerca e ficava vendo elas... era umas galinha branca.

Gradualmente, o interesse de Lennie foi sendo atraído para o que estava sendo dito.

– O George disse que a gente vai tê alfafa pros coelho.

– Que coelho?

– A gente vai tê uns coelho e uma plantação de amora.

– Ocê é loco.

– A gente vai memo. Pode perguntá pro George.

– Ocê é loco – Crooks estava caçoando dele. – Já vi um montão de home chegá pela estrada na fazenda, com uma troxa nas costa e essa mema ideia maldita na cabeça. Um montão. Eles chega aqui, vai embora e segue em frente, e cada maldito tem um pedacinho de terra na cabeça. E nunca nenhunzinho conseguiu nada disso. É igual o paraíso. Todo mundo qué um pedacinho de terra. Já li muito livro por aí. Ninguém nunca chega no paraíso, e ninguém nunca compra terra nenhuma. Isso só existe na cabeça dessa gente. Ficam falando dessas coisa o tempo todo, mas elas só existe na cabeça deles. – Fez uma pausa e olhou na direção da porta aberta, porque os cavalos estavam inquietos e os cabrestos não paravam de tilintar.

Um cavalo relinchou.

– Acho que tem alguém aí – Crooks disse. – Vai vê que é o Slim. O Slim às veiz vem aqui umas duas, treis veiz por noite. O Slim é um carrocero de verdade. Ele cuida bem dos animal dele. – Levantou-se com muito custo e se movimentou na direção da porta. – É ocê, Slim? – chamou.

Foi a voz de Candy que respondeu.

– O Slim foi pra cidade. Diz uma coisa, ocê viu o Lennie?

– Ocê tá falando do sujeito grandão?

– É. Ocê viu ele por aí?

– Ele tá aqui – Crooks disse, seco. Voltou para o catre e se deitou.

Candy ficou parado à porta, coçando o pulso vazio e olhando meio cego para dentro do quarto iluminado. Não fez menção de entrar.

– Vô te dizê uma coisa, Lennie. Andei pensando nos coelho.

Crooks disse, todo irritado:

– Pode entrá, se ocê quisé.

Candy parecia envergonhado.

– Eu sei. Claro, se ocê quisé que eu entro.

– Pode entrá. Se todo mundo já entrô memo, ocê também tem que entrá.

Era difícil para Crooks disfarçar sua alegria em contrariedade.

Candy entrou, mas continuava envergonhado.

– Ocê tem um lugarzinho bem aconchegante aqui – disse a Crooks. – Deve de sê bom tê um quarto só pr'ocê assim.

– Claro – disse Crooks. – E uma pilha de esterco bem debaixo da janela. Ah, é memo um prazê.

Lennie se intrometeu:

– O que foi qu'ocê disse dos coelho?

Candy se apoiou na parede ao lado da coalheira estragada sem parar de coçar o coto do pulso.

– Faiz tempo que eu tô aqui – disse. – E faiz tempo que o Crooks tá aqui. E hoje é a primera vez que eu venho no quarto dele.

Crooks disse, de um jeito obscuro:

– Ninguém gosta muito de entrá no quarto dum home de cor. Ninguém nunca entrô aqui. Só o Slim. O Slim e o patrão.

Candy mudou de assunto rapidamente.

– O Slim é o melhor carrocero que eu já vi.

Lennie se inclinou na direção do velho ajudante.

– E os coelho? – insistiu.

Candy sorriu.

– Já planejei tudo. A gente pode ganhá um pouco de dinhero com os coelho se a gente fazê tudo do jeito certo.

– Mas sô eu que vai cuidá deles – Lennie interrompeu. – O George disse que eu que vô cuidá. Ele prometeu.

Crooks os interrompeu com brutalidade:

– Oceis só tão enganando oceis memo. Oceis fica falando e falando disso aí, mas num vai tê terra nenhuma. Ocê vai trabaiá de ajudante aqui até o dia que levarem ocê embora num caixão. Diabo, já vi gente demais. O Lennie aqui, ele vai largá o serviço e vai voltá pra estrada daqui umas duas, treis semana. Parece que todo sujeito que eu conheço tem terra na cabeça.

Candy coçou a bochecha com raiva.

– Ocê pode tê certeza que a gente vai consegui. O George disse que a gente vai consegui. A gente até já tem o dinhero.

– Ah é? – disse Crooks. – E onde é que o George tá agora? Na cidade, onde tem um putero. É pra lá que o dinhero d'oceis vai. Jesus, eu já vi isso acontecê veiz sem conta. Já vi sujeito demais com terra na cabeça. Eles nunca consegue tê nem um pedacinho pra eles.

Candy exclamou:

– Claro que todo mundo qué isso. Todo mundo qué um pedacinho de terra, nem precisa sê muito. Só uma coisinha da gente. Só uma coisa pra sobrevivê, e pra ninguém podê ixpulsá a gente de lá. Eu nunca tive nada. Já trabalhei nas plantação de quase todo mundo desse estado, mas as plantação num era minha, e quando eu fazia a colheita, a colheita nunca era minha. Mas agora a gente vai consegui, e também num vai fazê nenhum erro. O dinhero num tá co'o George na cidade. O dinhero tá no banco. Eu e o Lennie e o George. A gente vai tê um quarto só pra gente. A gente vai tê cachorro e coelho e galinha. A gente vai tê milho verde e quem sabe uma vaca ou uma cabra. – Parou, quase tonto com o cenário que tinha traçado.

Crooks perguntou:

– Ocê disse que já tem o dinhero?

– É isso aí. A gente já tem quase tudo. Só falta mais um poquinho. Vamo tê tudo daqui um meis. O George também já achô o terreno.

Crooks esticou a mão e apalpou a coluna.

– Nunca vi ninguém fazê isso de verdade – disse. – Já vi uns sujeito quase loco de tanta solidão atrás de terra, mas tem sempre um putero ou uma mesa de aposta que leva o dinheiro embora. – Hesitou. – Se oceis... quisé alguém pra trabaiá pagando bem pouco, eu posso ir lá ajudá. Eu num sô tão aleijado assim, eu posso trabaiá que nem um filho da puta se eu quisé.

– Algum d'oceis viu o Curley?

Viraram a cabeça para a porta. Olhando lá para dentro estava a mulher de Curley. O rosto dela estava cheio de maquiagem. Os lábios, levemente abertos. Ela arfava, como se tivesse ido até ali correndo.

– O Curley num passô por aqui, não – Candy disse, azedo.

Ficou parada à porta, sorrindo um pouco para eles, esfregando as unhas de uma das mãos com o polegar e o indicador da outra. E os olhos dela passearam de um rosto a outro.

– Deixaro só os fraco aqui – terminou por dizer. – Oceis acha que eu num sei pra onde é que todo mundo foi? Até o Curley. Eu sei muito bem onde eles foro.

Lennie ficou olhando para ela, fascinado; mas Candy e Crooks desviavam do olhar dela. Candy disse:

– Então, se a sinhora sabe, por que é que a sinhora veio até aqui perguntá pra gente se a gente sabe onde que o Curley tá?

Ela olhou para ele com cara de quem estava se divertindo.

– Que coisa engraçada – disse. – Se eu pego algum sujeito sozinho, a gente se entende bem. Mas quando dois d'oceis se junta, oceis num fala nada. Só fica aí falando maluquice. – Largou os dedos e colocou as mãos na cintura. – Oceis têm medo um do otro, é isso aí. Cada um d'oceis tem medo que os otros vão ficá falando mal d'oceis.

Depois de uma pausa, Crooks disse:

– Acho que é meió a sinhora voltá pra sua casa agora. A gente num qué sabê de confusão.

– Bom, eu num vô causá confusão ninhuma. Oceis acha que eu num gosto de batê um papo de veiz em quando com alguém? Acha que eu gosto de ficá infiada naquela casa o tempo intero?

Candy repousou o coto do pulso no joelho e o coçou levemente com a mão. Disse, em tom acusatório:

– A sinhora tem marido. A sinhora num tem nada que ficá rodeando os otros home, aprontando confusão.

A moça se irritou.

– É claro que eu tenho marido. Oceis tudo já viu ele. Ele é um bom sujeito, né? Passa o tempo todo falando o que é que ele vai fazê com os sujeito que ele num gosta. E ele num gosta de ninguém. Oceis acha que eu vô ficá naquela casinha minúscula ouvindo ele falá de como vai acertá um murro com a esquerda e depois aplicá um golpe de cruz? "Um-dois", ele fala

assim. "Só vou aplicar um um-dois e ele vai caí de cara no chão." Fez uma pausa e todo o mau humor sumiu de seu rosto, que assumiu um ar interessado.
– Diz uma coisa... o que foi que aconteceu co'a mão do Curley?

Um silêncio constrangido baixou. Candy roubou um olhar de Lennie. Então tossiu.

– Ah... o Curley... ele ficô co'a mão presa numa máquina, moça. Acabô co'a mão dele.

Ela ficou olhando durante um instante, daí começou a rir.

– Quanta bestera! Oceis acha que eu vô acreditá nisso? O Curley começô algum negócio que num conseguiu terminá. Prendeu a mão numa máquina... quanta bestera! Ah, porque desde que ele estorô a mão, num conseguiu mais aplicá o bom golpe um-dois em mais ninguém. Quem foi que deu um jeito nele?

Candy repetiu, de má vontade:
– Ele prendeu a mão numa máquina.

– Tá certo – ela disse de um jeito insolente. – Tá certo, oceis pode protegê ele se quisé. Eu num tô nem aí. Oceis, seus mendigo maldito, oceis se acha o máximo. Oceis acha que eu sô criança? Pois vô dizê uma coisa, eu podia ainda tá fazendo apresentação no palco. E não é qualqué apresentação, num é não. E um fulano disse que eu podia até fazê filme... – Estava sem fôlego de tanta indignação. – Sábado à noite. Todo mundo saiu pra aprontá por aí. Todo mundo! E eu? Eu fico aqui conversando com uns pião tosco... um preto e um lelé e um velho priguiçoso... e ainda gosto, porque num tem mais ninguém aqui.

Lennie ficou observando a moça, com a boca meio aberta. Crooks tinha se recolhido à dignidade incrivelmente protegida dos negros. Mas o velho Candy sofreu uma mudança. Ficou em pé de repente e derrubou o barril de pregos sobre o qual estava sentado.

– Chega – disse, bravo. – Ninguém qué a sinhora aqui. A gente disse que num qué. E vô dizê uma coisa, a sinhora tem umas ideia bem errada a respeito do que que a gente é. A sinhora num tem juízo que basta nessa sua cabeça de galinha pra vê que a gente não é tosco coisa nenhuma. Imagina só se a sinhora faiz a gente sê demitido. Imagina só. A sinhora acha que a gente vai saí pela estrada e procurá um otro trabaio ruim que nem esse daqui. A sinhora num sabe que a gente tem uma fazenda que é da gente, co'uma casa que é da gente. A gente num vai ficá aqui, não. A gente tem casa e galinhero e árvore de fruta e um lugá que é mil veiz mais bunito do que esse aqui. E a gente tem amigo, tem sim. Vai vê que já teve um tempo que a gente tinha medo de sê mandado imbora, mais esse tempo já passô. A gente tem uma terrinha, e é da gente, e a gente pode ir pra lá.

A mulher de Curley riu na cara dele:

– Quanta bestera – disse. – Já vi um monte de sujeito igual oceis. Se oceis tivesse algum dinhero, ia torrá tudo em bebida. Eu conheço bem esse tipo.

O rosto de Candy ia ficando cada vez mais vermelho, mas antes que ela terminasse de falar, ele conseguiu se controlar. Era ele que comandava a situação.

– Vai vê que é memo – disse, todo simpático. – Acho que é meió a sinhora ir tirando seu cavalinho da chuva. A gente num tem nada memo pra dizê pra sinhora. A gente sabe o que a gente tem e num liga nem um poco pro que a sinhora sabe ou num sabe. Então, acho que é meió a sinhora ir imbora agora, porque acho que o Curley num vai gostá nada de vê a mulher dele no celero co'uns "pião tosco" que nem a gente.

Ela olhou de rosto em rosto, e todos estavam fechados, contra ela. E olhou mais longamente para Lennie, até que ele desviou os olhos, acanhado. De repente, disse:

– Onde foi qu'ocê arrumô esse machucado na cara?

Lennie ergueu o olhar, cheio de culpa.

– Quem, eu?

– É, ocê memo.

Lennie olhou para Candy em busca de auxílio, e então olhou para o próprio colo de novo.

– Ele prendeu a mão numa máquina – disse.

A mulher de Curley riu.

– Ah, tá certo, máquina. Falo co'ocê mais tarde. Eu bem que gosto duma máquina.

Candy interrompeu.

– A sinhora faiz o favor de dexá esse sujeito em paiz. Num vem armá confusão pra cima dele. Vô falá pro George o que a sinhora disse. O George num vai dexá a sinhora aprontá co'o Lennie.

– Quem é esse tal de George? – ela perguntou. – O sujeitinho que veio co'ocê?

Lennie sorriu, todo feliz:

– É ele memo – respondeu. – É ele memo, e ele vai me dexá cuidá dos coelho.

— Bom, se é só isso que ocê qué, eu mesma posso arrumá uns coelho.

Crooks se levantou de seu catre e a encarou:

— Pra mim, chega — disse com frieza. — A sinhora num tem direito de entrá no quarto de um home de cor. A sinhora num tem direito de entrá aqui pra armá confusão, num tem memo. Agora, sai logo daqui, e sai bem rapidinho. Se a sinhora num saí, eu vô pidi pro patrão num dexá mais a sinhora entrá no celero.

Ela se virou para ele, caçoando:

— Ouve aqui, seu preto — disse. — Ocê sabe o que é que eu vô fazê co'ocê se ocê abri o bico?

Crooks ficou olhando desconsolado para ela, então se sentou no catre e se fechou em seus próprios pensamentos.

Ela chegou mais perto:

— Ocê sabe o que é que eu vô fazê?

Crooks parecia estar ficando cada vez menor, e se encolheu junto à parede.

— Sei sim, moça.

— Bom, intão vê se fica no seu lugá, seu preto. Ia sê tão fácil fazê ocê ficá dependurado numa árvore que nem ia tê graça.

Crooks reduzira-se a nada. Não tinha sobrado personalidade, nem ego... nada para suscitar compaixão ou desprezo. Ele disse:

— Pois não, sinhora — e sua voz não tinha entonação.

Por um instante, ela ficou por cima dele, como se estivesse esperando ele se mexer para poder desferir um outro golpe; mas Crooks ficou lá completamente imóvel, desviando o olhar, engolindo tudo que podia estar lhe causando mágoa. Virou-se afinal para os outros dois.

O velho Candy a observava, fascinado:

– Se a sinhora fizesse isso, a gente ia contá – disse baixinho. – A gente ia contá que a sinhora acusô o Crooks.

– Se oceis contá, vai vê só – ela exclamou. – Ninguém ouve o qu'oceis fala. E ocê sabe muito bem disso.

Candy se rendeu.

– É verdade... – concordou. – Ninguém ouve o que a gente fala.

Lennie choramingou:

– Eu queria que o George tivesse aqui. Eu queria que o George tivesse aqui.

Candy deu um passo para perto dele:

– Num se preocupa com nada – disse. – Acabei de ouvi o pessoal chegando. O George já deve de tá lá na casa dos pião, aposto. – Voltou-se para a mulher de Curley. – É meió a sinhora ir pra casa agora – disse baixinho. – Se a sinhora fô agora memo, a gente num vai falá pro Curley que a sinhora veio aqui.

Ela o avaliou com frieza:

– Aposto qu'ocê num ouviu nada coisa ninhuma.

– É meió num se arriscá – disse. – Se a sinhora num tem certeza, é meió se garanti.

Ela se virou para Lennie:

– Fico feliz d'ocê tê istorado o Curley um poquinho. Ele bem que tava merecendo. Às veiz eu queria eu mesma dá uma surra nele.

Deslizou porta afora e desapareceu no celeiro escuro. E quando ela atravessou o celeiro, os cabrestos dos animais tilintaram, e alguns cavalos resfolegaram e alguns bateram as patas no chão.

Crooks pareceu sair lentamente de baixo das camadas de proteção que tinha colocado sobre si:

– É verdade o que ocê disse do pessoal que voltô? – perguntou.

– Claro que é. Eu ouvi.

– Bom, eu num ouvi nada.

– A portera bateu – Candy disse, e prosseguiu: – Jesus Cristo, como a muié do Curley anda sem fazê barulho. Mas acho que ela deve de tê treinado bastante.

Crooks passou a evitar aquele assunto por completo.

– Acho que é meió oceis ir tudo embora – disse. – E num tô muito certo, mais acho que num quero mais qu'oceis vêm aqui. Um home de cor precisa tê seus direito, memo que ele num goste muito disso.

Candy disse:

– Aquela puta num devia tê falado aquelas coisa pr'ocê.

– Num foi nada – Crooks disse, inabalável. – Quando oceis viero aqui e ficaro comigo, eu isqueci. Mais o que ela falô é verdade.

Os cavalos resfolegaram no celeiro, os cabrestos tilintaram e uma voz chamou:

– Lennie, ô Lennie, ocê tá no celero?

– É o George – Lennie exclamou. E respondeu: – Aqui, George. Eu tô bem aqui.

Em um segundo, lá estava George parado à porta, e olhou em volta com ar de desaprovação.

– O que é qu'ocê tá fazendo no quarto do Crooks? Ocê num devia de tá aqui.

Crooks assentiu com a cabeça.

– Eu falei pra eles, mas eles entraro memo assim.

– Bom, e por que é qu'ocê num ixpulsô eles?

– Eu num me importei muito, não – disse Crooks. – O Lennie é um bom sujeito.

Então Candy se levantou:

– Ah, George! Eu andei pensando e pensando. Descobri um jeito da gente ganhá bem mais co'os coelho.

George desdenhou:

– Pensei que eu tinha dito pr'ocê que num era pra contá isso pra ninguém.

Candy ficou desconsolado:

– Eu só contei pro Crooks, pra mais ninguém.

George disse:

– Bom, pessoal, vamo embora daqui. Jesus, parece que eu num posso saí nem um minuto.

Candy e Lennie se levantaram e se dirigiram para a porta. Crooks chamou:

– Candy!

– Hã?

– Lembra o que eu disse de trabaiá ganhando bem poquinho?

– Lembro – respondeu Candy. – Lembro sim.

– Bom, pode isquecê – disse Crooks. – Num tava falando sério. Era brincadera. Eu num quero ir prum lugá que nem aquele.

– Bom, tudo bem, se ocê prefere assim, problema seu. Boa noite.

Os três homens saíram pela porta. Quando atravessaram o celeiro, os cavalos resfolegaram e os cabrestos tilintaram.

Crooks ficou sentado no catre, olhando para a porta durante um instante, então pegou o frasco de unguento. Puxou a camisa para fora das calças nas costas, colocou um pouco de unguento na palma da mão rosada e, esticando a mão para trás, começou a friccionar as costas lentamente.

EM UMA DAS EXTREMIDADES do grande celeiro havia uma pilha alta de feno novo e sobre a pilha estava pendurado pelo cabo o grande garfo de quatro dentes para recolher feno. O monte caía como a encosta de uma montanha do outro lado do celeiro, onde havia um local nivelado que ainda não tinha recebido a nova colheita. Ao lado, viam-se as manjedouras e, entre as tábuas, as cabeças dos cavalos.

Era domingo à tarde. Os cavalos que descansavam mastigavam os talos de feno restantes, batiam as patas no chão, mordiscavam a madeira do cocho e faziam tilintar os cabrestos. O sol da tarde penetrava através das rachaduras das paredes do celeiro e formava linhas brilhantes sobre o feno. Havia um zumbido de moscas no ar, a cantilena da tarde preguiçosa.

Lá de fora vinha o barulho das ferraduras no gancho do jogo e os gritos dos homens, torcendo, incentivando, lamentando. Mas no celeiro tudo estava quieto e zunindo e preguiçoso e quente.

Só Lennie estava no celeiro, e Lennie estava sentado sobre o feno, do lado de um caixote embaixo de um cocho que não tinha sido enchido de feno no fundo do celeiro. Lennie estava sentado sobre o feno, olhando para o cachorrinho morto à sua frente. Lennie ficou olhando para ele durante muito tempo, então esticou a mão enorme e acariciou o bichinho de uma extremidade à outra.

E Lennie disse com muita suavidade para o cachorrinho:

– Por que foi qu'ocê morreu? Ocê num é tão piquinininho assim, igual um rato. Eu num chacoalhei forte, não. – Inclinou a cabeça do cachorrinho para cima e olhou no rosto dele, e disse: – Agora, acho que o George num vai mais me dexá cuidá dos coelho, se ele descobre que eu matei ocê.

Fez um pequeno buraco no feno, colocou o cachorrinho lá dentro, cobriu a abertura e o escondeu, mas não parou de olhar para o montículo funerário que tinha feito. Disse:

– Isso aqui num é tão ruim pra eu precisá ir me escondê no mato. Ah! Não, num é não. Num é não. Vô falá pro George que eu achei ocê morto.

Desenterrou o cachorrinho, o inspecionou e o acariciou das orelhas ao rabo. Prosseguiu, cheio de mágoa:

– Mais ele vai sabê, o George sempre sabe. Ele vai falá assim: "Foi ocê que feiz isso. Num vem tentá me inganá." E ele vai falá assim: "E agora, por causa disso, ocê num vai mais podê cuidá dos coelho!".

De repente, a raiva lhe subiu.

– Seu maldito – exclamou. – Por que foi qu'ocê morreu? Ocê num é piquinininho que nem um rato. – Pegou o cachorrinho e o jogou longe. Ficou de costas para ele. Sentou-se curvado por sobre os joelhos e murmurou: – Agora eu num vô mais podê cuidá dos coelho. Agora ele num vai mais dexá eu cuidá deles. Balançou para a frente e para trás com desgosto.

Lá de fora vinha o barulho das ferraduras batendo na estaca de ferro, e então o pequeno coro de gritos. Lennie se levantou e trouxe o cachorrinho de volta para perto de si, ajeitou-o sobre o feno e se sentou. Acariciou o cachorrinho de novo.

– Ocê num era bastante grande – disse. – Todo mundo ficô me falando que ocê num era. Eu num sabia qu'ocê podia morrê assim tão fácil. – Brincou com a orelha inerte do cãozinho com os dedos. – Vai vê que o George nem vai ligá – disse. – Esse porcaria desse filho da puta aqui num era nada pro George.

A mulher de Curley apareceu no canto da última baia. Chegou sem fazer barulho nenhum, de modo que Lennie não a viu. Usava o vestido de chita de cores fortes e os tamancos com penas de avestruz vermelhas. O rosto estava todo maquiado e os cachinhos em formato de salsicha estavam todos no lugar. Já estava bem perto dele quando Lennie ergueu os olhos e a viu.

Em pânico, jogou feno em cima do cachorrinho com os dedos. Olhou para ela bem tristonho.

– O que é qu'ocê tem aí, meu rapaiz?

Lennie ficou olhando para ela.

– O George disse que é pra eu num me metê co'a sinhora... nem falá co'a sinhora nem nada.

Ela riu.

– O George é que manda n'ocê?

Lennie abaixou os olhos e olhou para o feno.

– Ele disse que eu num vô podê cuidá dos coelho se eu falá co'a sinhora. Ele disse sim.

Ela respondeu baixinho:

– Ele tem medo que o Curley fica bravo. Bom, o Curley tá co'uma tipoia no braço... e se o Curley se metê a valentão, ocê pode quebrá a otra mão dele. Oceis não me enganaro nem um pouco quando falaro que ele prendeu numa máquina.

Mas Lennie não ia morder a isca.

– Não sinhora. Eu num vô falá co'a sinhora nem nada.

Ela se sentou no feno, ao lado dele.

– Olha – ela disse. – O pessoal todo tá lá jogando ferradura e ninguém sabe o que que tá acontecendo. Só é umas quatro hora. Nenhum deles vai largá o torneio no meio. Por que é que eu num posso conversá co'ocê? Eu nunca converso com ninguém. Eu me sinto muito sozinha memo.

Lennie disse:

– Bom, num é pr'eu falá co'a sinhora, num é não.

– Eu me sinto sozinha – ela disse. – Ocê pode conversá co'os otro, mais eu num posso falá com ninguém, só co'o Curley. Senão ele fica bravo. Ocê ia gostá de num podê falá com ninguém?

Lennie disse:

– Bom, eu num posso falá co'a sinhora. O George tem medo que eu vô me metê em confusão.

Ela mudou de assunto.

– O que é qu'ocê escondeu aí?

Daí todo o pesar de Lennie voltou a cair sobre ele.

– É só o meu cachorrinho – disse, tristonho. – É só o meu cachorrinho pequeno. – E tirou o feno que estava por cima dele.

– Por que é qu'ele tá morto? – ela exclamou.

– Ele era tão pequinininho... – disse Lennie. – Eu só tava brincando co'ele... e ele fez que ia me mordê...

e eu fiz que ia dá um tapa nele... e... e eu dei. E daí ele morreu.

Ela o consolou.

— Num se preocupa com isso. Ele só era um vira-lata. Ocê consegue otro facinho. Por aqui tá cheio de vira-lata.

— Mas num é só isso — Lennie explicou, todo triste. — Agora o George num vai mais me dexá cuidá dos coelho.

— Por que é que ele num vai dexá?

— Bom, ele disse que se eu fizesse mais coisa ruim, ele num ia mais me deixá cuidá dos coelho.

Ela chegou mais perto e falou com uma voz gentil.

— Num se preocupa de conversá cumigo. Ouve só o pessoal gritando lá fora. Eles apostaro quatro dólar naquele torneio. Nenhum dos home vai saí de lá antes de acabá.

— Se o George me vê falando co'ocê, ele vai me infernizá a vida — Lennie disse cautelosamente. — Foi ele memo que disse.

O rosto dela ficou bravo.

— Qual é o problema cumigo? — exclamou. — Eu num tenho direito de conversá com ninguém? O que é que eles acha que eu sô, hein? Ocê é um sujeito simpático. Eu num sei por que que eu num posso conversar co'ocê. Eu num tô fazendo mal nenhum pr'ocê.

— Bom, o George fala qu'ocê vai metê a gente em confusão.

— Ah, que locura! — ela disse. — Que mal qu'eu tô fazendo pr'ocê? Parece que ninguém se importa co'a vida que eu levo. Vô dizê uma coisa: num tô acostumada a vivê desse jeito. Eu podia sê alguém na vida. – E completou, sombria: – Quem sabe, eu ainda vô sê. – E então suas palavras assumiram um frenesi por falar, como se estivesse se apressando para que seu ouvinte não lhe fosse arrebatado. – Eu nasci ali em Salinas – disse. – Vim pra cá quando era criança. Bom, passô um espetáculo na cidade e eu conheci um ator. Ele disse que eu podia ir junto co'o espetáculo. Mas a minha mãe num quis dexá. Ela disse que era porque eu só tinha quinze anos. Mas o sujeito disse que eu podia ir. Se eu tivesse ido, eu num ia tá vivendo desse jeito, pode apostá.

Lennie acariciava o cachorrinho de uma extremidade à outra.

– A gente vai tê uma casinha... e uns coelho – explicou.

Ela continuou apressada com a sua história, antes que fosse interrompida.

– Teve otra veiz que eu conheci um sujeito, ele trabaiava com filme. Fui no Dance Palace de Riverside co'ele. Ele disse que ia me colocá no cinema. Disse que eu era espontânea. Assim que ele voltava pra Hollywood, ia me escrevê falando disso. – Olhou com atenção para Lennie, para ver se o estava impressionando. – Nunca recebi carta ninhuma – disse. – Sempre fiquei achando que a minha mãe robô. Bom, eu num ia ficá num lugá que eu num pudia fazê nada nem virá alguém na vida, um lugá onde os otro robava as minhas carta. E eu até perguntei pra ela se ela tinha robado, mas ela disse que num tinha não. Então eu casei co'o Curley. Conheci ele no Dance Palace de

Riverside naquela noite memo. – Quis saber: – Ocê tá ouvindo?

– Eu? Tô sim.

– Bom, eu nunca contei nada disso pra ninguém. Acho que num devia memo contá. Eu num *gosto* do Curley. Ele num é um bom sujeito. – E como tinha contado seus segredos para Lennie, ela chegou mais perto dele e se sentou bem ao seu lado. – Eu podia tá agora no cinema e tê umas ropa bunita... um monte de ropa bunita pra vesti. E eu podia ficá lá naqueles hotel grande, e um monte de gente ia ficá tirando a minha foto. Quando tivesse aquelas estreia, eu ia podê ir, e ia falá no rádio, e num ia tê que pagá nada porque eu ia tá no filme. E com tudo aquelas ropa bunita que essa gente veste. Porque o sujeito disse que eu era espontânea. – Olhou para Lennie, e fez um pequeno gesto grandioso com o braço e a mão para mostrar que sabia mesmo atuar. Os dedos seguiam a extensão do pulso que determinava a direção e o mindinho se destacava dos outros de maneira pomposa.

Lennie suspirou profundamente. Do lado de fora veio o barulho de uma ferradura batendo contra um metal, e logo um coro de comemoração.

– Alguém marcô ponto – disse a mulher de Curley.

A luz estava indo embora à medida que o sol ia se pondo, e os raios de sol subiram pela parede e caíram sobre os cochos e sobre as cabeças dos cavalos.

Lennie disse:

– Acho que se eu levá esse cachorrinho lá pra fora e jogá longe, o George nunca vai sabê. E daí eu vô podê cuidá dos coelho sem problema.

A mulher de Curley disse, brava:

– Ocê num pensa em nada que num é esses coelho?

– A gente vai tê uma casinha – Lennie explicou, pacientemente. – A gente vai tê uma casinha e um jardim e uma plantação de alfafa, e a alfafa é pros coelho, e eu pego um saco e encho de alfafa e levo pros coelho.

Ela perguntou:

– Por que qu'ocê é tão loco por coelho?

Lennie teve que pensar com muita atenção antes de chegar a uma conclusão. Foi chegando mais perto dela com cuidado, até quase encostar nela.

– Eu gosto de agradá coisa bunita. Uma vez, numa feira, eu vi uns coelho bem peludo. E era bunito, era sim. Às veiz eu agrado rato, mas só quando num tem nada melhor.

A mulher de Curley se afastou um pouco dele.

– Acho qu'ocê é loco – disse.

– Num sô não, num sô – Lennie explicou com muita convicção. – O George fala que eu num sô. Eu gosto de agradá coisa bunita co'o dedo, coisa macia.

Ela se sentiu um pouco mais segura.

– Bom, quem é que num gosta? – disse. – Todo mundo gosta. Eu gosto de passá a mão na seda e no veludo. Ocê gosta de passá a mão no veludo?

Lennie deu risadinhas de prazer.

– Pode apostá que eu gosto sim, meu Deus – exclamou, todo alegre. – E tinha uma moça que me deu um poco, e essa moça era... a minha tia Clara. Ela deu pra mim... um pedaço grande assim. Eu bem que queria tê aquele veludo agora. – Seu rosto franziu-se todo. – Eu perdi – disse. – E faz um tempão que eu num vejo ele.

A mulher de Curley riu dele.

– Ocê é loco – ela disse. – Mais é um sujeito bem simpático. Parece um bebezão. Mais a gente consegue entendê o que qu'ocê tá falando. Às veiz, quando eu tô penteando o cabelo, eu também fico agradando ele, porque é bem macio. – Para mostrar como ela fazia, passou os dedos na parte de cima da cabeça. – Tem gente que tem cabelo ruim – disse, complacente. – Olha o Curley. O cabelo dele parece arame. Mas o meu é macio e bunito. Claro que eu escovo bastante. Por isso que ele fica bunito. Aqui... passa a mão bem aqui. – Pegou a mão de Lennie e colocou na cabeça dela. – Pode passá a mão aí pra vê como é macio.

Os dedos grandes de Lennie começaram a acariciar o cabelo dela.

– Não vai dispentiá – ela disse.

Lennie disse:

– Ah, que gostoso – e acariciou com mais força. – Ah, que gostoso.

– Cuidado aí, ocê vai dispentiá. – E daí exclamou, brava: – Pode pará agora, ocê vai dispentiá tudo. – Puxou a cabeça para o lado, e os dedos de Lennie se fecharam no cabelo dela e não soltaram. – Solta! – ela gritou. – Solta!

Lennie estava em pânico. Seu rosto estava contorcido. Ela então começou a berrar, e a outra mão de Lennie se fechou sobre a boca e o nariz dela.

– Por favô, num grita – ele implorou. – Ah, por favô, num faiz isso. O George vai ficá bravo.

Ela esperneava violentamente sob as mãos dele. Os pés batiam no feno e ela tentava se libertar, e debaixo da mão de Lennie veio um grito abafado. Lennie começou a chorar de medo.

– Ah! Por favô, num faiz essas coisa – implorou. – O George vai dizê que eu fiz uma coisa ruim. Ele num vai dexá eu cuidá dos coelho. – Afastou um pouco a mão e ela soltou um grito rouco. Daí Lennie ficou bravo. – Não, num faiz isso – disse. – Eu num quero que a sinhora grita. A sinhora vai me metê em confusão, igualzinho o George disse que ia acontecê. Intão, a sinhora num vai fazê nada disso.

E ela continuava a espernear, e os olhos dela estavam cheios de pavor. Ele então a sacudiu, e estava bravo com ela.

– Num vai gritá – disse, e sacudiu-a; e o corpo dela estremeceu como o de um peixe. E daí ela ficou imóvel, porque Lennie tinha quebrado o pescoço dela.

Olhou para ela, retirou a mão da boca dela com cuidado e ela ficou lá parada.

– Eu num quero machucá a sinhora – disse. – Mas o George vai ficá bravo se a sinhora gritá. – Quando ela não respondeu nem se mexeu, ele se agachou perto dela. Levantou o braço dela e deixou cair. Por um instante, ficou estupefato. E então, murmurou, apavorado: – Eu fiz otra coisa ruim, eu fiz otra coisa ruim.

Cobriu o corpo dela parcialmente com palha.

Do lado de fora do celeiro vieram os gritos dos homens e o ruído duplo da ferradura batendo contra o metal. Pela primeira vez, Lennie tomou consciência do que estava acontecendo lá fora. Agachou-se no feno e ficou escutando.

– Eu fiz uma coisa ruim de verdade – disse. – Eu num devia tê feito isso. O George vai ficá bravo. E... ele disse... pra me escondê no mato até ele chegá. Ele vai ficá bravo. No mato até ele chegá. Foi o que ele disse. – Lennie voltou e olhou para a moça morta. O cachorrinho estava perto dela. Lennie o pegou. – Vô jogá ele fora – disse. – Já tá ruim dimais desse jeito.

Colocou o cachorrinho embaixo do casaco e se arrastou até a parede do celeiro, espiou por entre as rachaduras, na direção do jogo de ferradura. E daí se esgueirou até o canto da última manjedoura e desapareceu.

Os raios de sol já estavam bem altos na parede àquela altura, e a luz estava ficando suave dentro do celeiro. A mulher de Curley estava deitada de barriga para cima, com metade do corpo coberta pelo feno.

O celeiro estava bem silencioso, e o silêncio da tarde tinha caído sobre a fazenda. Até o barulho das ferraduras atiradas contra o gancho, até as vozes dos homens no jogo pareciam ter ficado mais baixas. O ar dentro do celeiro já ia ficando escuro, em uma previsão do anoitecer lá fora. Um pombo entrou voando pela porta de feno aberta, voou em círculos e saiu de novo. Do canto da última baia saiu uma cadela pastora, magra e comprida, com tetas pesadas e pendentes. A meio caminho da caixa onde estavam seus filhotinhos, ela sentiu o cheiro do cadáver da mulher de Curley, e os pelos das costas dela se eriçaram. Ela ganiu e se encolheu na caixa, e pulou no meio dos cachorrinhos.

A mulher de Curley estava lá deitada, meio tapada por um cobertor de feno amarelo. E a maldade e os estratagemas e o descontentamento e a ânsia por atenção já não faziam mais parte do rosto dela. Ela era muito bonita e simples, e o rosto dela era doce e jovem. Suas bochechas avermelhadas e os lábios pintados faziam com que ela parecesse viva, dormindo em um sono bem leve. Os cachos, como salsichinhas pequeninas, espalhavam-se por sobre o feno atrás da cabeça dela, e seus lábios estavam entreabertos.

Como de vez em quando acontece, um momento se instalou ali e ficou pairando. O som cessou, e o movimento parou – por muito, muito mais do que um momento.

Então, gradualmente, o tempo acordou de novo e prosseguiu se arrastando. Os cavalos bateram as patas no chão, do outro lado das manjedouras, e os cabrestos tilintaram. Lá fora, as vozes dos homens ficaram mais altas e mais claras.

Do canto da última baia veio a voz de Candy.

– Lennie – chamou. – Ô, Lennie! Ocê tá aqui? Eu andei pensando mais um poco. Vô te dizê o que que a gente vai fazê, Lennie. – O velho Candy apareceu no final da última baia. – Ô, Lennie! – chamou de novo, e então parou, e seu corpo ficou rígido. Coçou o bigode branco e espetado com o pulso lisinho. – Num sabia que a sinhora tava aqui – disse para a mulher de Curley.

Como ela não respondeu, ele chegou mais perto.

– A sinhora num devia durmi aqui – disse, com ar de desaprovação. Então estava ao lado dela e... – Ai, meu Jesus Cristo! – Olhou em volta desamparado e coçou a barba. Então, de um salto, saiu do celeiro com rapidez.

Mas o celeiro tinha ganhado vida. Os cavalos batiam as patas e relinchavam, e mastigavam a palha do chão da baia e faziam tilintar as correntes dos cabrestos. Em um instante Candy já tinha voltado, e George estava com ele.

George disse:

– Por que é qu'ocê queria falá comigo?

Candy apontou para a mulher de Curley. George ficou olhando.

– O que que tem de errado com ela? – perguntou. Chegou mais perto, e então fez eco às palavras de Candy. – Ai, meu Jesus Cristo! – Estava de joelhos ao lado dela. Colocou a mão em cima do coração dela. E, afinal, quando se levantou, lenta e rigidamente, seu rosto estava duro como um pedaço de madeira, e seus olhos, secos.

Candy disse:

– O que será que feiz isso?

George olhou para ele com frieza.

– Ocê num faiz ideia, não? – perguntou.

E Candy ficou em silêncio.

– Eu já devia sabê – George disse, decepcionado. – Acho que lá no fundo eu já sabia memo.

Candy perguntou:

– O que é que a gente vai fazê agora, George? O que é que a gente vai fazê?

George demorou bastante tempo para responder.

– Acho... que a gente precisa contá pro... pessoal. Acho que a gente precisa pegá ele e mandá prendê.

Num dá pra deixá ele fugi. Imagina, o coitado daquele imbecil ia morrê de fome. – E tentou convencer a si mesmo: – Quem sabe ele vai pra cadeia e tratam bem dele lá?

Mas Candy disse, ansioso:

– A gente precisa dexá ele fugi. Ocê num conhece esse Curley. O Curley vai querê mandá linchá ele. O Curley vai mandá matá ele.

George observava os lábios de Candy.

– É – terminou por dizer. – Tá certo, o Curley vai fazê isso aí memo. E o resto do pessoal também. – E olhou de novo para a mulher de Curley.

Então Candy falou, com um medo enorme na voz.

– Ocê e eu, a gente ainda pode comprá aquele lugá, né, George? Ocê e eu, a gente pode ir vivê lá no bem bom, né, George? Pode?

Antes de George responder, Candy deixou a cabeça cair e olhou para o feno. Ele tinha entendido tudo.

George disse, com muita suavidade:

– ... Acho que eu já sabia desde o começo. Acho que eu sempre soube que nunca ia acontecê. Mais ele gostava tanto de ouvi eu falá daquilo que eu comecei a pensá que a gente ia consegui.

– Intão... tá tudo cancelado? – Candy perguntou, cheio de tristeza.

George não respondeu à pergunta. George disse:

– Eu vô trabaiá um meis e vô recebê meus cinquenta pau e vô passá a noite intera em um putero vagabundo qualqué. Ou vô em algum lugá pra jogá sinuca e vô ficá lá até todo mundo voltá pra casa. E daí eu volto aqui e trabaio mais um meis e ganho mais cinquenta pau.

Candy disse:

– Ele é um sujeito tão bom. Nunca achei que ele ia fazê uma coisa dessa.

George continuava olhando para a mulher de Curley.

– O Lennie nunca faiz nada por mal – disse. – Ele faiz coisa ruim o tempo todo, mais nunca tem intenção de fazê. – Aprumou o corpo e olhou de novo para Candy. – Agora, ouve bem. A gente precisa contá pro pessoal. Vão tê que prendê ele, acho. Num vai tê jeito de escapá. Quem sabe eles resolve num machucá ele? – Disse, incisivo: – Num vô dexá ninguém machucá o Lennie. Agora, ouve bem. O pessoal vai achá que eu tô metido nessa. Intão eu vô lá pra casa dos pião. Daí, daqui um minuto, ocê vai lá e conta pro pessoal o que aconteceu com ela, e eu chego e finjo que nem sabia de nada. Ocê faiz isso? Pro pessoal num achá que eu tava metido nesse negócio?

Candy disse:

– Claro, George, claro qu'eu faço isso.

– Tudo bem. Intão, me dá uns minuto, e daí ocê sai correndo e fala qu'ocê veio aqui e achô ela. Eu tô indo agora. – George se virou e saiu apressado do celeiro.

O velho Candy ficou observando ele ir embora. Olhou desconsolado para a mulher de Curley, e gradualmente sua dor e sua mágoa foram se transformando em palavras.

– Sua vagabunda maldita – disse, cheio de maldade. – Ocê conseguiu, né memo? Acho qu'ocê deve de tá contente. Todo mundo sabia qu'ocê ia armá confusão. Ocê num valia nada. Ocê num vale nada agora, sua vagabunda ordinária. – Fungou, e sua voz tremeu. – Eu podia ficá cuidando do jardim e lavando a loça desses sujeito. – Fez uma pausa, e prosseguiu, como que em uma ladainha. E repetiu as velhas palavras: – Se tivesse um circo ou um jogo de beisebol na cidade... a gente ia ir... ia mandá o trabaio pro diabo, e ia lá. Nunca ia tê que pedi licença pra ninguém. E também ia tê porco e galinha... e no inverno... o fogãozinho gorducho... e a chuva caindo... e a gente lá, bem quentinho. – Lágrimas cegaram seus olhos e ele se virou e saiu sem forças do celeiro, e coçou o bigode eriçado com o coto do pulso.

Lá fora, o barulho do jogo cessou. Ouviu-se uma elevação de vozes fazendo perguntas, um estouro de pés apressados, e os homens irromperam no celeiro. Slim e Carlson e o jovem Whit e Curley, e Crooks, mantendo-se fora do alcance das atenções. Candy vinha atrás deles, e por fim chegou George. George tinha vestido o casaco de brim azul e o abotoara, e seu chapéu preto estava abaixado por cima dos olhos. Os homens foram correndo até a última baia. Seus olhos encontraram a mulher de Curley no meio da semiescuridão, pararam, ficaram ali paralisados, observando.

Então Slim foi até ela com cuidado e sentiu o pulso dela. Um dedo magro tocou a bochecha, e então a mão dele percorreu o pescoço levemente retorcido e seus dedos exploraram o local. Quando se levantou, os homens se aglomeraram à sua volta e o encanto se quebrou.

Curley de repente despertou para a vida.

– Eu sei quem foi que feiz isso – gritou. – Foi aquele grandão filho da puta que feiz isso. Eu sei que foi ele que feiz isso. Ah... tava todo mundo lá fora jogando ferradura. – Ficou furioso. – Eu pego ele. Vô buscá a minha espingarda. Vô matá aquele filho da puta grandão co'as minha mão. Vô dá um tiro nas tripa dele. Vamo lá, pessoal. – Saiu do celeiro em um acesso de fúria.

Carlson disse:

– Vô pegá a minha Luger – e também saiu correndo.

Slim virou-se para George com cautela:

– Acho que foi memo o Lennie que feiz isso – disse. – O pescoço dela tá quebrado. O Lennie bem que pode tê feito isso.

George não respondeu, mas assentiu com a cabeça lentamente. O chapéu estava tão enterrado na cabeça que seus olhos estavam cobertos.

Slim prosseguiu:

– Acho que deve tê sido igual àquela veiz em Weed qu'ocê me contô.

Mais uma vez, George assentiu com a cabeça.

Slim suspirou.

– Bom, acho que a gente vai tê que ir lá pegá ele. Onde é qu'ocê acha que ele se meteu?

Parece que George levou um certo tempo para conseguir formar as palavras. – Ele... deve tê ido pro sul – disse. – A gente veio do norte, intão ele deve tê ido pro sul.

– Acho que a gente vai tê que ir lá pegá ele – Slim repetiu.

George chegou mais perto.

– Será que a gente num pode pegá ele e mandá pra cadeia? Ele é maluco, Slim. Ele num feiz por mal.

Slim assentiu com a cabeça.

– Pode até sê – disse. – Se a gente consegui segurá o Curley, pode até sê. Mas o Curley vai querê matá ele. O Curley ainda tá bravo por causa da mão dele. E imagina só se ele fô preso e amarrado e jogado numa jaula. Também num vai sê nada bom, George.

– Eu sei – disse George. – Eu sei.

Carlson entrou correndo.

– O imbecil roubou a minha Luger – gritou. – Num tá na minha bolsa. – Curley vinha atrás dele, e Curley carregava uma espingarda na mão boa. Curley já estava bem mais calmo:

– Tá certo, pessoal – disse. – O preto tem uma espingarda. Pega ela, Carlson. Se ocê vê ele, num dá chance. Pode atirá nas tripa. Ele vai dobrá em dois.

Whit disse, cheio de animação:

– Eu num tô armado.

Curley disse:

– Ocê vai lá em Soledad e traiz um guarda. Traiz o Al Wilts, ele é o xerife substituto. Vamo lá, agora. – Virou-se para George, cheio de suspeita. – Ocê vem co'a gente, rapaiz.

– Tudo bem – disse George. – Eu vô. Mais ouve bem, Curley. Aquele coitado daquele imbecil é maluco. Num atira nele. Ele num sabia o que qu'ele tava fazendo.

– Num atira nele? – Curley berrou. – Ele tá co'a Luger do Carlson. Claro que a gente vai atirá nele.

George disse, fracamente:

– Vai vê que o Carlson perdeu o revólver dele.

– Eu vi ele hoje de manhã – disse Carlson. – Nada disso, alguém pegô.

Slim ficou lá olhando para a mulher de Curley. Disse:

– Curley... acho que é meió ocê ficá aqui co'a sua muié.

O rosto de Curley ficou vermelho.

– Eu vô – disse. – Eu vô atirá nas tripa daquele imbecil grandão pessoalmente, apesá de eu só tê uma mão. Eu vô pegá ele.

Slim virou-se para Candy:

– Ocê fica aqui com ela, então, Candy. É meió a gente ir logo, então.

Saíram dali. George parou um instante ao lado de Candy e os dois ficaram olhando para a moça morta até que Curley chamou:

– Ei, George, fica aqui co'a gente, pra gente sabê qu'ocê num tá metido nisso.

George os seguiu bem devagar, arrastando os pés pesadamente.

E quando eles saíram, Candy se agachou no feno e ficou olhando o rosto da mulher de Curley.

– Coitado daquele imbecil – disse baixinho.

O barulho dos homens foi sumindo. O celeiro ia escurecendo gradualmente e, em suas baias, os cavalos batiam as patas e faziam tilintar os arreios. O velho Candy deitou-se sobre o feno e cobriu os olhos com o braço.

A LAGOA PROFUNDAMENTE verde do rio Salinas estava imóvel naquele fim de tarde. O sol já tinha deixado o vale para escalar as encostas das montanhas Gabilan, e o topo das colinas estava rosado. Mas, ao lado da lagoa, entre os plátanos sarapintados, uma sombra agradável tinha caído.

Uma cobra-d'água deslizou pela superfície da lagoa, virando sua cabeça de periscópio de um lado para o outro, e percorreu toda a extensão da lagoa, até chegar aos pés de uma garça imóvel que estava na parte rasa. A cabeça e o bico silencioso da ave se curvaram para baixo e a agarraram pela cabeça, e o bico engoliu a cobrinha enquanto sua cauda tremelicava freneticamente.

Uma lufada de vento distante soprou e passou através do topo das árvores como uma onda. As folhas de plátano exibiram o seu lado prateado, as folhas castanhas no chão mudaram de lugar. E uma fileira atrás da outra de diminutas ondas formadas pelo vento percorreram a superfície verde da lagoa.

Com a mesma rapidez que tinha chegado, o vento foi embora, e a clareira ficou em silêncio outra vez. A garça ficou lá na parte rasa, imóvel, à espera. Outra pequena cobra-d'água veio nadando pela lagoa, virando a cabeça de periscópio de um lado para o outro.

De repente, Lennie saiu do meio do mato e chegou em silêncio, com movimentos iguais aos de um urso à espreita. A garça bateu as asas no ar, elevou-se da água e voou rio abaixo. A pequena cobra deslizou para dentro das raízes submersas da margem da lagoa.

Lennie foi até a beira d'água em silêncio. Ajoelhou-se e bebeu, mal encostando os lábios na água. Quando um passarinho caminhou por sobre as folhas secas atrás dele, ergueu a cabeça e ficou prestando atenção com olhos e ouvidos na direção do barulho, até que viu o passarinho, e então deixou a cabeça cair e voltou a beber.

Quando terminou, sentou-se à margem, de lado para a lagoa, de modo que pudesse vigiar a entrada da trilha. Abraçou as pernas e apoiou o queixo entre os joelhos.

A luz foi embora do vale e, nesse movimento, fez com que o topo das montanhas parecesse queimar com a claridade crescente.

Lennie disse bem baixinho:

– Eu num isqueci, pode apostá, diabo. Iscondê no mato e esperá o George. – Puxou o chapéu por sobre os olhos. – O George vai me infernizá – disse. – O George vai falá que prifiria tá sozinho sem tê eu pra incomodá ele. – Virou a cabeça e olhou para o topo brilhante das montanhas. – Posso ir pra lá e achá uma caverna – disse. E prosseguiu, com tristeza: – E nunca mais vô comê molho de tomate... mais eu num vô nem me importá. Se o George num quisé mais sabê de mim... eu vô imbora. Eu vô imbora.

E então saiu da cabeça de Lennie uma mulherzinha corpulenta. Ela usava óculos bem grossos e vestia um avental de corpo inteiro com bolsos, e estava toda engomada e limpinha. Ficou parada na frente de Lennie, colocou as mãos na cintura e fez cara feia para ele.

E quando ela falou, foi com a voz de Lennie:

– Eu falei e falei pr'ocê mais de uma vez – ela disse. – Eu falei pr'ocê obedecê o George porque ele é um rapaiz bom de verdade e ele é bom pr'ocê. Mais ocê nunca presta atenção. Ocê faiz coisa ruim.

E Lennie respondeu:

– Eu tentei, tia Clara, sinhora. Eu tentei e tentei de novo. Mais num foi minha culpa.

– Ocê nunca pensa no George – ela prosseguiu com a voz de Lennie. – Ele sempre faiz coisa boa pr'ocê. Quando ele arranja um pedaço de bolo, ele sempre dá metade e até mais que a metade pr'ocê. E se ele tivesse molho de tomate, pode apostá que ele ia dá tudo pr'ocê.

– Eu sei – disse Lennie, tristonho. – Eu tentei, tia Clara, sinhora. Eu tentei e tentei de novo.

Ela o interrompeu.

– Ele podia tá se divertindo tanto se num fosse ocê. Ele ia pegá o dinhero dele e se acabá em um putero, e ele podia ir prum salão de jogo ir se matá de tanto jogá sinuca. Mas ele tem que tomá conta d'ocê.

Lennie choramingou de tanta mágoa.

– Eu sei, tia Clara, sinhora. Eu vô logo pras montanha e vô achá uma caverna e vô morá lá pra num incomodá mais o George.

– Ocê só tá falando por falá – ela disse, ríspida. – Ocê vive dizendo isso, e ocê sabe muito bem, seu filho da puta, qu'ocê nunca vai fazê nada disso. Ocê só fica rodeando o George e incomodando ele o tempo todo.

Lennie disse:

– Acho que eu vô imbora memo. Agora o George num vai mais me dexá cuidá dos coelho.

Tia Clara foi embora, e da cabeça de Lennie saiu um coelho gigante. Ficou sentado sobre as patas traseiras na frente dele, abanando as orelhas e franzindo o nariz. E também falou com a voz de Lennie.

– Cuidá de coelho – disse, em tom zombeteiro. – Seu imbecil loco. Ocê num tem capacidade nem pra lambê as bota dum coelho. Ocê ia isquecê deles e deixá eles morrendo de fome. É isso qu'ocê ia fazê. E daí, o que é que o George ia pensá?

– Eu *num* ia isquecê coisa ninhuma – Lennie disse em voz alta.

– Co'o diabo que num ia – disse o coelho. – Ocê num vale nem o espeto que iam usá pra te assá no inferno. Jesus bem sabe que o George fez tudo que podia pra te ajudá, mas num adiantô de nada. Se ocê acha que o George vai dexá ocê cuidá dos coelho, ocê tá mais loco que o normal. Ele num vai, num vai não. Ele vai te dá a maió surra com um pau, é isso que ele vai fazê.

Então Lennie retrucou com ar de briga:

– Ele num vai fazê nada disso. O George num ia fazê uma coisa dessa. Eu conheço o George desde... eu já isqueci quando... e ele nunca levantô a mão pra mim com um pau. Ele é bonzinho comigo. Ele num vai fazê maldade.

– Bom, ele tá farto d'ocê – disse o coelho. – Ele vai te dá a maió surra e depois ele vai imbora e vai te largá.

– Num vai nada! – Lennie gritou, histérico. – Ele num vai fazê nada disso. Eu conheço o George. Eu e ele, a gente viaja junto.

Mas o coelho repetia baixinho, sem parar:

– Ele vai te largá, seu imbecil loco. Ele vai dexá ocê sozinho. Ele vai te largá, seu imbecil loco.

Lennie tapou os ouvidos com as mãos.

– Ele num vai nada, tô falando que num vai. – E gritou: – Ah! George... George... George!

George saiu do mato em silêncio, e o coelho voltou saltitante para dentro do cérebro de Lennie.

George disse, em voz baixa:

– Por que diabo qu'ocê tá gritando tanto?

Lennie se ergueu sobre os joelhos.

– Ocê num vai me abandoná, vai, George? Eu sei qu'ocê num vai.

George chegou perto dele com o corpo rígido e se sentou ao lado dele.

– Num vô não.

– Eu sabia – Lennie exclamou. – Ocê num é desse tipo.

George ficou em silêncio.

Lennie disse:

– George.

– Hein?

– Eu fiz otra coisa ruim.

– Num faiz mais diferença nenhuma – George disse, e ficou em silêncio de novo.

Só os picos mais altos continuavam iluminados pelo sol. A sombra sobre o vale era azulada e suave.

De longe, veio o som de homens gritando uns com os outros. George virou a cabeça e ouviu os gritos.

Lennie disse:

– George.

– Hein?

– Ocê num vai me infernizá?

– Te infernizá?

– É, igual ocê sempre faiz. Assim, ó: "Se num fosse ocê eu pegava meus cinquenta pau..."

– Jesus Cristo, Lennie! Ocê num consegue lembrá nada que acontece, mas lembra cada palavra que eu falo.

– Bom, e ocê num vai falá?

George tremeu todo. Disse, com frieza inabalável:

– Se eu tivesse sozinho, eu ia vivê fácil. – Seu tom de voz era monótono, sem ênfase nenhuma. – Eu podia arrumá um trabaio e num ia mais me metê em confusão nenhuma. – Parou.

– Continua – disse Lennie. – E quando chegava no fim do meis...

– E quando chegava no fim do meis, eu ia pegá meus cinquenta pau e ia pra um... putero... – Parou de novo.

Lennie olhou ansioso para ele.

– Continua, George. Ocê num vai me infernizá mais?

– Num vô não – disse George.

– Bom, eu posso ir imbora – disse Lennie. – Eu vô pras montanha e vô achá uma caverna se ocê num qué mais sabê de mim.

George se sacudiu todo de novo.

– Num é isso – ele disse. – Eu quero qu'ocê fica aqui comigo.

Lennie disse, cheio de esperteza:

– Conta pra mim, igual ocê fez antes.

– Contá o quê?

– Dos otro home e da gente.

George disse:

– Os sujeito que nem a gente num têm família. Eles ganha um poquinho e já gasta tudo. Eles num têm ninguém no mundo que dá a mínima pra eles...

– Mais *a gente* num é assim – Lennie exclamou todo alegre. – Fala da gente agora.

George ficou em silêncio por um instante.

– Mais a gente num é assim – disse.

– Porque...

– Porque eu tenho ocê e...

– E eu tenho ocê. A gente tem um o otro, e é isso, isso é que é tê alguém que se importa co'a gente – Lennie gritou triunfante.

A fraca brisa do anoitecer soprou de novo sobre a clareira, e as folhas farfalharam e o vento formou ondas que encresparam a superfície da lagoa. E ouviram-se de novo os gritos dos homens, desta vez bem mais perto do que antes.

George tirou o chapéu. Disse, com a voz trêmula:

– Tira o chapéu, Lennie. O ar tá gostoso.

Lennie tirou o chapéu, obediente, e o depositou no chão à sua frente. As sombras do vale estavam mais azuis, e a noite caía com rapidez. O som de galhos estalando chegou até eles, trazido pelo vento.

Lennie disse:

– Conta como é que vai sê.

George estava prestando atenção aos sons distantes. Por um instante, falou como se estivesse falando de negócios.

– Olha lá do otro lado do rio, Lennie, e eu vô contá e ocê quase vai consegui inxergá.

Lennie virou a cabeça e olhou para o outro lado da lagoa, para cima das encostas das Gabilans que iam escurecendo.

– A gente vai comprá uma casinha – George começou. Colocou a mão no bolso lateral da jaqueta e tirou dali a Luger de Carlson; destravou a arma e posicionou a mão que segurava a pistola atrás das costas de Lennie, no chão. Olhou para a nuca de Lennie, no lugar em que a coluna se unia ao crânio.

Uma voz de homem chamou rio acima, e outra voz de homem respondeu.

– Continua – disse Lennie.

George ergueu a arma e sua mão tremeu, e ele deixou o braço cair de novo no chão.

– Continua – disse Lennie. – Fala como é que vai sê. A gente vai comprá uma casinha.

– A gente vai tê uma vaca – disse George. – E quem sabe a gente vai tê porco e galinha... e lá no campo vai tê uma... plantaçãozinha de alfafa...

– Pros coelho – Lennie exclamou.

– Pros coelho – George repetiu.

– E eu que vô cuidá dos coelho.

– E ocê que vai cuidá dos coelho.

Lennie deu risadinhas de tanta alegria.

– E a gente vai vivê da terra.

– É.

Lennie virou a cabeça.

– Não, Lennie, olha lá do otro lado do rio, que nem se ocê tivesse vendo o lugá.

Lennie obedeceu. George olhou para o revólver.

Ouviam-se passos no meio do mato. George se virou e olhou na direção deles.

– Continua, George. Quando é que a gente vai fazê isso?

– A gente vai fazê isso logo.

– Eu e ocê.

– Ocê... e eu. Todo mundo vai sê bonzinho co'ocê. Num vai mais tê confusão nenhuma. Ninguém vai machucá ninguém nem robá de ninguém.

Lennie disse:

– Eu achei qu'ocê tava bravo comigo, George.

– Não, Lennie. Eu num tô bravo. Eu nunca fiquei bravo, e num tô bravo agora. Eu quero qu'ocê saiba disso.

As vozes chegaram mais perto. George ergueu a arma e ouviu as vozes.

Lennie implorou:

– Vamo lá agora, vamo comprá a terra agora.

– Claro, agora memo. Eu preciso. A gente precisa fazê isso.

E George ergueu a arma e fez a mira, e aproximou o cano da nuca de Lennie. Sua mão tremia com violência, mas seu rosto se resignou, e a mão ficou firme. Puxou o gatilho. O estampido do tiro subiu e desceu as montanhas. O corpo de Lennie estremeceu, e então se acomodou lentamente sobre a areia, e ficou lá deitado, sem se mexer.

George tremia e olhava para a arma, e então a jogou longe, bem para longe da margem, perto da velha pilha de cinzas.

O mato pareceu se encher com gritos e com o som de pés em correria. A voz de Slim gritou:

– George. Cadê ocê, George?

Mas George estava sentado na margem, rígido, e olhava para a mão direita que tinha jogado o revólver longe. O grupo irrompeu na clareira, e Curley vinha na frente. Viu Lennie deitado na areia.

– Ocê pegô ele, meu Deus. – Foi até lá e olhou para Lennie. E então voltou o olhar para George. – Bem na nuca – disse baixinho.

Slim foi diretamente até onde George estava e se sentou ao lado dele, bem perto dele:

– Num se preocupa – disse Slim. – Às veiz é isso que a gente precisa fazê.

Mas Carlson estava em pé ao lado de George.

– Como foi qu'ocê feiz isso? – perguntou.

– Eu só fiz – George disse, cansado.

– Ele tava co'o meu revólver?

– É, tava sim. Ele tava co'o seu revólver.

– E ocê tirô ele dele e pegô ele e atirô?

– É. Foi assim memo – a voz de George era quase um sussurro. Ele olhava fixamente para a mão direita, que tinha segurado o revólver.

Slim cutucou o ombro de George.

– Vem comigo, George. Eu e ocê, a gente vai tomá um trago.

George permitiu que ele o ajudasse a se levantar.

– É, um trago.

Slim disse:

– Ocê tinha que fazê isso, George, ocê tinha que fazê. Vem comigo. – Conduziu George pela trilha e até a estrada.

Curley e Carlson ficaram observando os dois. E Carlson disse:

– Caramba, o que é qu'ocê acha que é o problema desses dois aí?

Coleção L&PM POCKET
ÚLTIMOS LANÇAMENTOS

1310. **Peter Pan** – Monteiro Lobato
1311. **Dom Quixote das crianças** – Monteiro Lobato
1312. **O Minotauro** – Monteiro Lobato
1313. **Um quarto só seu** – Virginia Woolf
1314. **Sonetos** – Shakespeare
1315(35). **Thoreau** – Marie Berthoumieu e Laura El Makki
1316. **Teoria da arte** – Cynthia Freeland
1317. **A arte da prudência** – Baltasar Gracián
1318. **O louco** *seguido de* **Areia e espuma** – Khalil Gibran
1319. **O profeta** *seguido de* **O jardim do profeta** – Khalil Gibran
1320. **Jesus, o Filho do Homem** – Khalil Gibran
1321. **A luta** – Norman Mailer
1322. **Sobre o sofrimento do mundo e outros ensaios** – Schopenhauer
1323. **Epidemiologia** – Rodolfo Sacacci
1324. **Japão moderno** – Christopher Goto-Jones
1325. **A arte da meditação** – Matthieu Ricard
1326. **O adversário secreto** – Agatha Christie
1327. **Pollyanna** – Eleanor H. Porter
1328. **Espelhos** – Eduardo Galeano
1329. **A Vênus das peles** – Sacher-Masoch
1330. **O 18 de brumário de Luís Bonaparte** – Karl Marx
1331. **Um jogo para os vivos** – Patricia Highsmith
1332. **A tristeza pode esperar** – J.J. Camargo
1333. **Vinte poemas de amor e uma canção desesperada** – Pablo Neruda
1334. **Judaísmo** – Norman Solomon
1335. **Esquizofrenia** – Christopher Frith & Eve Johnstone
1336. **Seis personagens em busca de um autor** – Luigi Pirandello
1337. **A Fazenda dos Animais** – George Orwell
1338. **1984** – George Orwell
1339. **Ubu Rei** – Alfred Jarry
1340. **Sobre bêbados e bebidas** – Bukowski
1341. **Tempestade para os vivos e para os mortos** – Bukowski
1342. **Complicado** – Natsume Ono
1343. **Sobre o livre-arbítrio** – Schopenhauer
1344. **Uma breve história da literatura** – John Sutherland
1345. **Você fica tão sozinho às vezes que até faz sentido** – Bukowski
1346. **Um apartamento em Paris** – Guillaume Musso
1347. **Receitas fáceis e saborosas** – José Antonio Pinheiro Machado
1348. **Por que engordamos** – Gary Taubes
1349. **A fabulosa história do hospital** – Jean-Noël Fabiani
1350. **Voo noturno** *seguido de* **Terra dos homens** – Antoine de Saint-Exupéry
1351. **Doutor Sax** – Jack Kerouac
1352. **O livro do Tao e da virtude** – Lao-Tsé
1353. **Pista negra** – Antonio Manzini
1354. **A chave de vidro** – Dashiell Hammett
1355. **Martin Eden** – Jack London
1356. **Já te disse adeus, e agora, como te esqueço?** – Walter Riso
1357. **A viagem do descobrimento** – Eduardo Bueno
1358. **Náufragos, traficantes e degredados** – Eduardo Bueno
1359. **Retrato do Brasil** – Paulo Prado
1360. **Maravilhosamente imperfeito, escandalosamente feliz** – Walter Riso
1361. **É...** – Millôr Fernandes
1362. **Duas tábuas e uma paixão** – Millôr Fernandes
1363. **Selma e Sinatra** – Martha Medeiros
1364. **Tudo que eu queria te dizer** – Martha Medeiros
1365. **Várias histórias** – Machado de Assis
1366. **A sabedoria do Padre Brown** – G. K. Chesterton
1367. **Capitães do Brasil** – Eduardo Bueno
1368. **O falcão maltês** – Dashiell Hammett
1369. **A arte de estar com a razão** – Arthur Schopenhauer
1370. **A visão dos vencidos** – Miguel León-Portilla
1371. **A coroa, a cruz e a espada** – Eduardo Bueno
1372. **Poética** – Aristóteles
1373. **O reprimido** – Agatha Christie
1374. **O espelho do homem morto** – Agatha Christie
1375. **Cartas sobre a felicidade e outros textos** – Epicuro
1376. **A corista e outras histórias** – Anton Tchékhov
1377. **Na estrada da beatitude** – Eduardo Bueno
1378. **Freud: a cura pelo espírito** – Stefan Zweig
1379. **O nascimento da tragédia** – Friedrich Nietzsche
1380. **Tempos difíceis** – Charles Dickens
1381. **A aventura da tumba egípcia e outras histórias** – Agatha Christie
1382. **O sonho e outros contos** – Agatha Christie
1383. **Uma paixão no deserto** *seguido de* **A paz conjugal** – Honoré de Balzac
1384. **Um episódio durante o terror** *seguido d*e **A falsa amante** – Honoré de Balzac
1385. **Vamos colorir!!!: Um livro para todas as idades** – L&PM Editores
1386. **Feliz por nada** – Martha Medeiros
1387. **Simples assim** – Martha Medeiros
1388. **A graça da coisa** – Martha Medeiros
1389. **A forma da água** – Andrea Camilleri
1390. **O cão de terracota** – Andrea Camilleri
1391. **Resumo da ópera** – A.S. Franchini
1392. **Doidas & santas** – Martha Medeiros

lepmeditores
www.lpm.com.br
o site que conta tudo

IMPRESSÃO:

PALLOTTI
GRÁFICA

Santa Maria - RS | Fone: (55) 3220.4500
www.graficapallotti.com.br